Soigner sans s'épuiser

Tableau de couverture : ***Entre le temps et l'espace***
Œuvre d'ANAÏT Abramian

ANAÏT Abramian a commencé sa carrière artistique à Saint-Pétersbourg, en art monumental, dans la création de fresques, de vitraux et d'émaux. Dès 1983, alors à Moscou, elle délaisse les grandes commandes pour se consacrer à l'estampe.

Elle est aujourd'hui installée à Montréal mais ses œuvres rappellent qu'Anaït est née au pays des icônes : ses estampes en gardent une profonde influence byzantine. Est-ce la force de l'image ou la densité des couleurs, ou bien l'éclat de l'or qui fait chatoyer la lumière ? Tout dans ses œuvres évoque la richesse et ses compositions provoquent une émotion immédiate. C'est qu'elles semblent être le reflet de l'âme, et ses personnages les acteurs d'un théâtre de l'amour et du merveilleux.

Lorraine Brissette
Michelle Arcand
Josiane Bonnet

Soigner sans s'épuiser

gaëtan morin éditeur
EUROPE

Paris, Gaëtan Morin Éditeur–Europe
105, rue Jules-Guesde
92300 Levallois-Perret
Tél. : 01 41 40 49 20

Montréal, Gaëtan Morin Éditeur ltée
171, boulevard de Mortagne
Boucherville (Québec), Canada, J4B 6G4
Tél. : (514) 449 2369

Casablanca, Gaëtan Morin Éditeur–Maghreb
6 bis, rond-point des Sports, boulevard Abdellatif-Ben-Kaddour
20000 Casablanca, Maroc
Tél. : (02) 49 02 18

Couverture : DESIGN COPILOTE
Relecture : ESTHER BAUMANN

ISBN Europe : 2-910749-31-2
Dépôt légal : 2e trimestre 1998

Les auteurs remercient toutes les infirmières qui ont partagé avec elles leurs réflexions et leurs émotions au sujet du burn out durant leurs formations et celles qui ont répondu à leur questionnaire.

Elles adressent un remerciement particulier à Annie Bardou pour ses conseils judicieux et tiennent à exprimer leur reconnaissance à Michèle Tribert Vallet qui a patiemment revu certains passages du texte pour adapter le récit à l'expérience française.

Un pas
Un pas de deux
arrondit les misères
Le corps se soulève toujours

FUITE

À l'instant sordide
où le murmure
attise le cœur déserté

où ta voix pose des bémols
aux histoires anciennes
aux rêves incendiés
au bouillonnement de l'étreinte

où le besoin se fracasse
sur un cœur de plomb

le repos
reste sur le seuil
de la chambre
hésite entre le chagrin
et le ciel

Au moment
où l'envie de courir
te ramène à toute allure
où le rire chavire

la mort trébuche
et fuit
par la porte arrière

Denise Joyal

Sommaire

Chapitre 5

LES CHOIX 83

Chapitre 6

COMMENT PRENDRE SOIN DE SOI POUR NE PAS S'ÉPUISER 99

Chapitre 7

LE CHANGEMENT 117

Introduction

Une infirmière sur quatre présente un épuisement professionnel important sur le plan émotionnel, auquel s'associe fréquemment un désinvestissement dans le travail auprès des malades. Ces résultats préoccupants, mis en évidence au cours d'une recherche réalisée en 1992 auprès de cinq cent vingt infirmières de deux grands hôpitaux de la région parisienne (Rodary *et coll.*, 1993), ont fait l'effet d'un pavé dans la mare. Qui, en effet, peut encore nier aujourd'hui que les infirmières françaises sont en souffrance ? Face à des soignants qui travaillent dans des conditions de plus en plus difficiles, qui s'épuisent jusqu'à n'en plus pouvoir, n'y a-t-il pas une provocation des pouvoirs publics à prétendre développer une politique fondée sur l'amélioration de la qualité des soins, quand les préoccupations quotidiennes des décideurs, orientées prioritairement vers la maîtrise des dépenses de santé, portent atteinte en permanence à cette qualité ? Cet ouvrage va voir le jour dans un contexte de fortes revendications des professionnels des soins infirmiers français, puisque diverses associations et syndicats infirmiers s'apprêtent à descendre dans la rue pour afficher haut et fort leur volonté de maintien de la qualité des soins. Mais se préoccuper de la qualité des soins suppose de se préoccuper en amont de la qualité de vie au travail des soignants qui dispensent ces soins, et des répercussions sur leur propre niveau de santé. Au cours des dernières années, la santé au travail a fait l'objet d'un grand nombre de recherches. Les résultats de ces recherches mettent en évidence que certaines professions, dont l'activité quotidienne est particulièrement génératrice de stress, sont plus susceptibles que d'autres de présenter des manifestations d'épuisement professionnel. C'est le cas des soignants, et plus particulièrement des infirmières. Les manifestations de cet épuisement professionnel ont été abondamment décrites dans la littérature sous l'appellation de syndrome de « burn-out ». Il est admis aujourd'hui d'envisager le « burn-out » comme une maladie de l'adaptation, produite par des réactions adaptatives inappropriées dans une situation de stress.

Historique du concept de « burn-out »

Le terme de « burn-out » apparaît en tant qu'entité clinique pour la première fois en 1974 dans les écrits de Herbert Freudenberger[1], psychanalyste américain. Ses premières observations concernent des soignants d'une clinique psychiatrique où lui-même travaillait. Pour parler de cet état particulier de détresse qu'il observe chez certains de ces soignants, Freudenberger choisit d'utiliser l'expression « burn-out » qui signifie s'user, s'épuiser, brûler jusqu'au bout. Pour justifier le choix de ce terme fortement imagé, il écrit en 1980 : « Je me suis rendu compte au cours de mon exercice quotidien que les gens sont parfois victimes d'incendies tout comme les immeubles. Sous l'effet de la tension produite par la vie de notre monde complexe, leurs ressources internes en viennent à se consumer comme sous l'action de flammes, ne laissant qu'un vide immense à l'intérieur même si l'enveloppe externe semble plus ou moins intacte[2] ». À la suite des travaux de Freudenberger, d'autres auteurs d'outre-Atlantique vont reprendre ce tableau clinique, l'affiner, et élaborer des instruments de mesure. C'est ainsi qu'à partir de 1975 Christina Maslach[3] étudie le phénomène du « burn-out » auprès d'une population de soignants, de travailleurs sociaux, d'enseignants et d'avocats. Elle définit le burn-out comme « un syndrome d'épuisement physique et émotionnel, qui conduit au développement d'une image de soi inadéquate, d'attitudes négatives au travail avec perte d'intérêts et de sentiments pour les patients ». Pour Christina Maslach, le syndrome s'articule autour de trois éléments :

- l'épuisement physique et/ou émotionnel : il est généré essentiellement par une demande de soutien psychologique excessive chez des professionnels en situation de relation d'aide. C'est la composante clé du syndrome ;
- la « dépersonnalisation » : elle se traduit par une perte d'empathie, un détachement excessif dans les rapports interpersonnels pouvant aller

1. Freudenberger H.J. – l'épuisement professionnel: «la brûlure interne». Chicoutimi: Gaëtan Morin éditeur 1987
2. Cité par C. Franchesci-Chaix dans «le syndrôme de burn-out: étude clinique et implications en psychopathologie du travail» – Thèse de médecine soutenue à la faculté de Limoges – 1992 –
3. Maslach C., Jackson S.E., (1982), Burn-out in health professions: A social psychological analysis. dans G.S. Sanders et J. Suls: social psychology of health and illness – Hillsdale, NJ: Lawrence Erlbaum.

jusqu'au cynisme, une plus grande routine des soins avec une tendance à traiter le patient comme un objet ;

– le manque d'accomplissement personnel : plus le sujet fait d'efforts pour faire face, plus il s'épuise, plus il perd son efficacité, plus il se démotive, installant par là même une sorte de cercle vicieux où il finit par douter de ses propres capacités, baisse les bras et éprouve un réel manque d'accomplissement.

En Europe il faudra attendre les années quatre-vingt pour voir apparaître le concept de « burn-out ». Le thème sera abordé en France en 1990, en lien avec le stress, lors des XXIe Journées de médecine du travail à Rouen. Le terme est le plus souvent traduit par «épuisement professionnel», ou par «usure professionnelle». Les études menées en France par M. Estryn-Behar[4], docteur en ergonomie (1992), tendent à relier le phénomène aux conditions de travail qui génèrent des facteurs de stress trop importants. De son point de vue, le « burn-out » n'est pas un état constitutionnel, mais il est acquis et doit trouver sa cause et ses remèdes dans la structure même de l'institution.

Facteurs reliés à l'épuisement professionnel des infirmières

Que savons-nous à ce jour des facteurs favorisant l'épuisement professionnel des infirmières ? Sont-ils en lien avec la population soignée, avec l'environnement de travail, ou bien encore avec la personnalité même des soignants ? En 1990, A. Duquette, S. Kerouac et L. Beaudet ont réalisé pour le Conseil québécois de la recherche sociale une étude dont le but était de dresser un bilan des connaissances empiriques sur les facteurs personnels et contextuels reliés à l'épuisement professionnel du personnel infirmier.

Facteurs relatifs au personnel lui-même

Il ressort de cette étude que les jeunes soignantes ayant peu d'expérience et celles qui manquent d'endurance sont plus vulnérables. En revanche, il

4. Estryn-Behar M., Ergonomie et burn-out, dossier de l'infirmière magazine, 1992, n° 57.

ne semble pas que le sexe, l'état civil et le nombre d'enfants soient des éléments significatifs de l'épuisement professionnel.

Facteurs relatifs à la population soignée

Le type d'unités de soins, le temps passé au contact direct des patients n'influencerait pas de manière significative l'épuisement professionnel du personnel infirmier. En revanche la complexité de la condition des patients, tant physique qu'émotionnelle ou sociale, serait fortement reliée à l'épuisement professionnel.

Facteurs organisationnels

L'étude montre que les facteurs les plus significatifs dans ce domaine sont le manque de soutien accordé aux soignants par leurs pairs et leurs supérieurs, les éléments de stress en milieu de travail (décès, horaires, bruit, charge de travail, ressources insuffisantes), les relations conflictuelles, et l'incertitude par rapport à la prise en charge des traitements. En France, sur ce même thème, une recherche d'envergure[5] a été menée en 1992 auprès de cinq cent vingt infirmières travaillant dans deux hôpitaux de la région parisienne. Les résultats de cette recherche vont dans le même sens que ceux de l'étude nord-américaine, puisque les facteurs liés à des scores élevés d'épuisement professionnel chez les infirmières s'avèrent être également le manque de soutien, les conflits avec les collègues, la charge et les horaires de travail ainsi que l'insuffisance de prise en compte de la qualité de vie du malade, un vécu d'acharnement thérapeutique, l'impossibilité de pouvoir organiser son travail, la peur physique des malades et la répugnance lors de certains soins, la non-reconnaissance des malades pour les soins reçus, le manque d'égard au travail, et la non-prise en compte de leur connaissance du malade dans les décisions médicales.

Les personnalités résistantes au stress

L'intérêt de ces multiples travaux, au-delà des nombreuses données qui nous permettent d'affiner notre compréhension des mécanismes du burn-

5. Rodary C., Gauvain-Piquard – résultats de l'étude dans Objectifs Soins – Octobre 93 – n° 16 –

out, est aussi de prendre conscience que ce phénomène n'est pas une fatalité, qu'on peut sans aucun doute le prévenir. Une des pistes pour cela pourrait être de repérer les traits particuliers de personnalité des personnes qui, dans des situations où la majorité s'épuise, montrent des capacités inhabituelles de résistance au stress. Antonovsky a retenu l'hypothèse que la capacité de résistance au stress diffère d'un individu à l'autre[6]. Kobasa[7] a par ailleurs identifié une caractéristique de personnalité qu'elle a appelée « hardiness » (traduit en français le plus souvent par «hardiesse», ou «endurance»), et qui semble avoir une influence majeure sur le processus d'adaptation de la personne, de même qu'un effet modérateur en situation de stress. Ce trait particulier de personnalité regroupe en fait trois dimensions : l'engagement, le contrôle et le défi. L'ensemble de ces trois dimensions forme un amalgame d'habiletés cognitives, émotionnelles et comportementales visant à aider l'individu à composer avec des événements stressants.

L'engagement

L'engagement a été décrit comme la tendance à s'impliquer dans toutes les activités entreprises. La personne engagée exprime de l'intérêt et de l'enthousiasme pour son activité professionnelle et pour la vie en général. De plus, elle a la capacité de demander de l'aide et l'assistance de l'autre lors d'événements qui nécessitent un réajustement.

Le contrôle

Cette dimension se réfère au concept de « lieu de contrôle » développé par Rotter en 1966. Ce dernier propose de différencier les individus selon la croyance qu'ils ont de pouvoir influencer ou non les événements de leur vie. Il parle de « lieu de contrôle interne » lorsque le sujet a l'impression de pouvoir contrôler son destin, et de « lieu de contrôle externe » lorsque le sujet est persuadé au contraire que ce qui lui arrive dépend de la chance, du destin ou du hasard. Chez Kobasa, il s'agit donc bien de contrôle

6. Antonovsky A., Health, stress and coping, San Fransisco, Jossey-Bass, 1979.
7. Kobasa S.C., Maddi S.R., Kahn S., (1982), hardiness and health : a prospective study. – Journal of personality and social psychology, 42(1).

interne caractérisant une personne qui a confiance en elle et la capacité de décider.

Le défi

Le défi se rapporte à la croyance que le changement est un stimulus important pour la croissance et le développement personnel. Faire preuve de défi, c'est s'ouvrir au changement, plutôt que de rechercher à tout prix la stabilité et la sécurité. Bon nombre de recherches actuelles tendent à confirmer que, pour une soignante, posséder les caractéristiques d'une personnalité qui allie le contrôle, l'engagement et le défi, fait une différence fondamentale dans la capacité de faire face à l'épuisement professionnel. Alors se pose immanquablement la question de savoir s'il est possible de développer la hardiesse des sujets qui en manquent !

Une nouvelle approche

Les auteurs de cet ouvrage font le pari que cela est possible. C'est dans cet esprit qu'ils proposent donc aux soignants un modèle très pragmatique de prévention du « burn-out » centré sur le développement et le renforcement de cette formidable ressource individuelle qu'est la « hardiesse ». Ils nous invitent à nous interroger sur nos propres fonctionnements, à repérer comment nous participons chacun, de manière souvent inconsciente, à notre propre épuisement, et surtout à développer de nouvelles stratégies simples, réalistes et efficaces pour mieux faire face au stress et ainsi prévenir le « burn-out ». C'est donc bien une démarche de développement personnel cherchant à promouvoir notre propre « hardiesse » qui nous est proposée tout au long de cet ouvrage. Nul doute que les infirmières françaises sauront lire dans ces lignes une magnifique invitation au voyage !

Alors ne tardez plus, et apprenez à prendre soin de vous !

Josiane Bonnet
Paris, février 1998

Note des auteurs au lecteur

Dans cet ouvrage, nous privilégions une démarche psycho-éducative qui met à contribution le corps, les émotions et la raison. Pour ce faire, nous nous appuyons principalement sur deux modèles théoriques : celui axé sur la communication et le modèle cognitif. La théorie générale de la communication a donné lieu à de nombreuses approches d'intervention dont trois ont particulièrement influencé nos travaux : la thérapie familiale élaborée par Virginia Satir, la programmation neurolinguistique de J. Grinder et R. Bandler, et l'analyse transactionnelle d'Éric Berne.

La communication doit toujours être analysée en tenant compte du contexte dans lequel elle se produit. Elle est un comportement appris qui se structure sous forme de « patterns » ou de modèles de communication. Ces habitudes de communication propres à un individu forment la base de la relation interpersonnelle. Chaque famille possède également ses « patterns » de communication formés de règles implicites et de rôles. C'est à partir de ce modèle théorique que nous avons analysé la question du changement et celle de la résistance au changement tant dans les familles que dans les équipes de travail. L'analyse transactionnelle quant à elle nous a particulièrement influencées relativement à la mise en évidence des « jeux » relationnels en intervention dont la « dynamique du Sauveteur ». Finalement, la programmation neurolinguistique a teinté un certain nombre d'exercices que nous présentons dans cet ouvrage et a servi de base à certains « recadrages » des termes que nous vous proposerons.

Le deuxième modèle théorique sur lequel s'appuie cet ouvrage est le modèle cognitif, dérivant du modèle béhavioriste. Les premières approches mises en pratique ont été celles de Ellis, avec la thérapie émotivo-rationnelle, et de Glasser avec la thérapie de la réalité. Les travaux de Beck, moins connus, ont porté sur le contrôle de l'anxiété. Toutes ces applications du modèle cognitif s'appuient sur la croyance selon laquelle ce sont les pensées, et non les pulsions inconscientes, qui dirigent les comportements. S'ajoutant au biais perceptuel, les émotions donnent souvent une vision erronée du monde et entraînent des réactions inappropriées. La modification des pensées par rapport aux stimuli permet alors de modifier la manière de répondre aux stimuli.

Ainsi, dans cet ouvrage, nous retrouvons des applications du modèle cognitif plus particulièrement avec le concept de croyance et de changement de croyance. Les croyances sont des généralisations qu'une personne établit à partir de certaines expériences de vie particulièrement marquantes et qu'elle applique par la suite à toutes les situations qui ont des caractéristiques similaires. Ces généralisations, qui se retrouvent souvent sous forme d'affirmations, d'injonctions et de jugements de valeur peuvent parfois être utiles lorsqu'elles donnent un sentiment de valeur personnelle à cet individu mais elles peuvent aussi être nuisibles lorsqu'elles l'amènent à nier son pouvoir personnel. L'ensemble de notre démarche de prévention de l'épuisement vise à repérer et modifier les croyances qui sont nuisibles par rapport à la protection de l'énergie et de la santé. En effet, notre expérience clinique nous a démontré qu'un grand nombre de situations d'épuisement prenaient racine dans des croyances telles que la gratuité du geste, la prééminence des besoins des autres ou l'absence de choix.

Tout en s'appuyant sur de solides bases conceptuelles, vous remarquerez que cet ouvrage a été écrit d'une manière simple et accessible. Nous avons voulu avant tout rejoindre un public large et nous adresser au cœur de chacun sans prérequis de connaissances théoriques. Cet ouvrage s'articule sur l'expérience professionnelle des auteurs qui mènent depuis plusieurs années un travail de thérapie auprès de personnes épuisées mais aussi un travail de prévention en formation de personnel social et sanitaire.

Cette démarche prend en compte, à toutes les étapes de son élaboration, les nombreux échanges que nous avons eus avec des thérapeutes, des infirmières, des aides-soignantes et d'autres professionnels de la santé soucieux de protéger leurs énergies. Cette proximité avec les soignants nous amène à utiliser parfois le « nous » pour englober l'expérience thérapeutique de chacun, qu'il s'agisse de notre expérience d'auteurs ou acteurs professionnels.

Vous serez peut-être surpris de toutes les ramifications de ces réflexions par rapport à l'objectif que vous poursuivez : la prévention de l'épuisement.

Cette démarche de connaissance de soi et de changement peut s'appliquer tout autant à la vie personnelle qu'à la vie professionnelle. Par ailleurs, en lisant l'ouvrage, il est possible que vous développiez un intérêt particulier pour l'histoire de vie de nos personnages. Afin de profiter des questions et de la profondeur des réflexions qu'elles amènent, nous vous suggérons de vous arrêter à la résonance que ces histoires de vie créeront en vous.

Cette méthode présente l'avantage d'être transversale c'est-à-dire transposable à toutes les problématiques. De plus, au plan méthodologique, notre démarche possède une logique interne. Ainsi, les différents thèmes s'enchaînent-ils les uns aux autres selon une suite bien définie. C'est même la clé de voûte de la méthode ! En effet, chacun des thèmes développés constitue un préalable permettant d'intégrer d'une part, et de mettre en application d'autre part, les idées centrales du thème suivant. Par exemple le travail sur la culpabilité est un prérequis dans la réponse aux besoins. Nous insistons donc pour que vous lisiez les chapitres et pour que vous fassiez les exercices dans l'ordre où ils vous sont présentés. Cette façon de procéder a été éprouvée et les résultats obtenus nous confortent quant à ce conseil.

Au cours de la rédaction de cet ouvrage, nous avons consulté une foule de références sur la question de l'épuisement. Celles-ci, dans leur ensemble, présentaient une vision plutôt épidémiologique du phénomène : descriptions cliniques, symptômes, taux de prévalence, impacts socio-sanitaires, etc. Nous avons voulu poursuivre le travail en essayant de comprendre le processus de l'épuisement par le biais de l'analyse du discours des personnes épuisées. C'est ainsi que nous en sommes venues à pouvoir « déconstruire » pour ainsi dire tout le processus mécanique de l'épuisement.

Nous avons choisi de traiter le sujet de la prévention en nous intéressant presque exclusivement à l'individu et aux changements qu'il doit opérer pour protéger sa santé. Nous aurions pu analyser ce phénomène en mettant l'accent également sur le rôle que peut jouer l'organisation dans le syndrome de l'épuisement. Nous avons fait le choix de nous centrer sur l'individu parce qu'il s'agit de notre domaine d'expertise et que cet aspect nous semble beaucoup moins bien documenté que les autres. Par exemple, en France notamment, un large courant de recherche et d'intervention en sociologie du travail s'est déjà penché sur la question des effets de l'organisation sur le bien-être et la santé des travailleurs.

Nous porterons donc une attention particulière à l'individu parce que nous croyons que le repérage des zones de vulnérabilité ainsi que la connaissance des lieux et conditions propices à l'éclatement de cette vulnérabilité peut faciliter la mise en place de changements personnels en vue de mieux protéger ou recouvrer énergies et santé. Cet ouvrage vise d'abord le changement d'attitude et de comportements chez les soignants sans pour autant exclure les actions visant le changement des modes de gestion et des structures organisationnelles.

Toute personne impliquée activement et à long terme dans une relation d'aide peut être confrontée à l'épuisement. La démarche présentée dans cet ouvrage, bien qu'adaptée plus particulièrement à la profession d'infirmière et d'aide-soignante peut s'appliquer à tous les types de soignants. Nous espérons que cette lecture vous sera utile, à vous-même ainsi qu'à vos collègues et aux membres de votre famille. Nous souhaitons qu'ils puissent accueillir avec souplesse et compréhension les changements que vous souhaiterez apporter à votre vie personnelle et professionnelle en vue de mieux protéger votre énergie et votre santé.

Bonne lecture !

Chapitre 1

POTENTIEL ÉNERGÉTIQUE ET ÉPUISEMENT

A. Témoignage

1. L'histoire de Marie-France

Dès qu'on lui a proposé ce poste clef, qui à coup sûr lui demanderait plus d'engagement personnel et beaucoup plus de responsabilités, c'est tout naturellement et avec satisfaction que Marie-France a dit oui sans hésiter. Répondre non ne lui a même pas traversé l'esprit. Débordante d'énergie, en excellente santé, active, entreprenante et organisée, elle semble pouvoir tout assumer. Déjà toute petite, étant l'aînée d'une famille de quatre enfants, elle s'acquittait fort bien des différentes tâches qui lui étaient confiées par ses parents, fort occupés à tenir leur commerce. Même sa grand-mère, veuve depuis longtemps, profitait de la complaisance de sa généreuse petite-fille pour lui demander quotidiennement de lui rendre de menus services. Rien ne semblait ébranler le caractère de Marie-France, pas même le fait de se lever chaque jour à 6 heures du matin pour se rendre à l'école. « Une vraie force de la nature, consciencieuse, scrupuleuse, loyale, délicate..., disait d'elle son plus proche entourage. Elle aura du mal à trouver plus tard un mari à la hauteur ! » Mais Marie-France ne songeait pas à cette époque au mariage. Elle voulait seulement devenir infirmière. Ses parents, eux, espéraient la voir reprendre un jour prochain le commerce qu'ils avaient eu tant de mal à démarrer. Pour ne pas avoir à les affronter directement et pouvoir se donner du temps pour les convaincre en douceur, Marie-France leur proposa une solution. Elle ferait ses études d'infirmière et consacrerait tous ses moments de liberté à les aider. Elle tint parole. Et durant toutes ses études, comme pour effacer toute ombre au tableau et ne jamais déclencher les foudres parentales, Marie-France fit en sorte qu'aucune des deux parties n'ait jamais rien à redire de son travail. Seuls son courage, sa détermination, son sens aigu de l'organisation et son sentiment exacerbé d'être et de demeurer la « digne fille » de son père lui permirent de maintenir son habile et délicat stratagème. Elle réussit.

Une fois diplômée, elle obtint son premier poste à l'hôpital, dans un service de longue durée. Elle continua durant ses vacances, « pour se changer les idées », à tenir le commerce familial et permettre ainsi à ses parents de se reposer.

Dix années s'étaient déjà tranquillement écoulées quand on lui fit cette proposition de poste de surveillante. Se sachant bien appréciée par l'ensemble du personnel autant pour sa bonne humeur que pour ses capacités à rendre service, à aider, à ne jamais refuser un conseil, une écoute, Marie-France accepta cette promotion comme une récompense. De prime abord pas de réels problèmes. Même dans sa vie personnelle, tout allait pour le mieux. Elle avait trouvé un mari « à la hauteur », un ingénieur commercial. Bien sûr, il devait voyager et se rendre régulièrement à l'étranger pour son travail, bien entendu il y avait aussi les crises d'asthme du plus jeune de ses deux fils qui ne lui laissaient parfois que quelques heures de sommeil avant d'aller travailler. Mais Marie-France, comme un vrai chef d'orchestre, organisait tout son petit univers. Jusqu'à ce jour où son beau-père mourut, Laurent, son mari, fils unique, se retrouva inextricablement confronté à une grave crise de conscience. Sa mère, incapable de vivre seule, exprima le désir puis très vite exigea d'habiter chez son fils. Elle se sentait, disait-elle, en sécurité et réconfortée par la présence de sa belle-fille, infirmière. Marie-France accepta.

La période de deuil fut longue. Quotidiennement sa belle-mère l'appelait dans son service, quotidiennement Marie-France prenait le temps de lui répondre, malgré la tâche professionnelle qui de jour en jour s'amplifiait. Progressivement la sonnerie du téléphone retentissant à heures régulières commença à l'impatienter puis à l'irriter. Les remarques, pourtant taquines, concernant les exigences de sa belle-mère et les sourires complices de ses collègues l'agacèrent. Pourtant Marie-France continua à se contrôler. D'humeur égale, elle tint à la perfection ses rôles d'épouse, de mère, de belle-fille et de surveillante. Il lui parut même opportun de s'inscrire à des stages de formation pour parfaire ses connaissances sur la qualité des soins infirmiers et la gestion.

Marie-France trouvait le temps de faire le point sur ses journées soit au volant de sa voiture sur le chemin du retour, soit avant de s'endormir avec la satisfaction de les avoir correctement remplies. Pourtant, sournoisement le sommeil s'éloigna d'elle. Elle avait de plus en plus de mal à se concentrer, lire un livre lui demandait un véritable effort. Elle se sentait triste, ne rêvant plus que d'île déserte pour se réfugier. Elle ne supportait plus la sonnerie du téléphone le soir à la maison ; « si jamais c'était pour lui demander un service » !... Cela devenait une véritable phobie. Elle finit par s'en inquiéter, à se trouver curieuse. En véritable professionnelle, elle se rendit vite compte qu'elle développait des attitudes bizarres. Au restaurant, elle demandait systématiquement la table la plus proche de la sortie ; à la messe lorsqu'elle accompagnait sa belle-mère, elles devaient s'asseoir sur le dernier banc au fond de l'église. Néanmoins, Marie-France diagnostiqua ces petits symptômes comme le résultat d'une grande fatigue. Les vacances qui se profilaient devraient servir de thérapie. Pour la première fois de sa vie, elle se mit à rayer sur le calendrier les jours qui la séparaient de ses congés. Du reste, toute la petite famille, trouvant ce rituel très excitant, collabora avec elle.

La présence de sa belle-mère se fit de plus en plus pesante, difficile pour Marie-France à supporter. Elle n'était jamais contente, critiquait sévèrement les enfants, les jugeant beaucoup trop gâtés, ne s'occupant pas assez d'elle après l'école. Avec patience pourtant, Marie-France compatissait. « Tout rentrera dans l'ordre quand elle aura définitivement accepté la mort de son époux » pensait-elle. Un matin qui s'annonçait comme les autres, sa belle-mère fut saisie d'une véritable crise de larmes, se plaignant de ne pas se sentir bien. Devant le désarroi de la vieille femme, Marie-France se sentit décontenancée ; et si elle avait vraiment quelque chose ? Malgré l'heure déjà bien avancée, elle prit le temps de s'asseoir près d'elle, de vérifier sa tension artérielle, de lui parler. « Tout va bien, rassurez-vous, c'est simplement un peu d'angoisse. Rien de plus normal. Sortez, allez rendre visite cet après-midi à une amie. Pourquoi pas à Mathilde ? Elle vous aime bien ».

Cet intermède matinal l'avait définitivement mise en retard. Elle s'enfuit de la maison précipitamment, promettant de lui téléphoner dans la journée. Ce matin-là tout semblait aller de travers. Même les feux rouges s'étaient ligués contre elle. Pour la première fois Marie-France sentit la colère l'envahir. Une colère dirigée exclusivement contre sa belle-mère. Jamais au grand jamais elle n'aurait dû accepter de l'héberger. Mais, arrivée dans son service, elle regrettait déjà de s'être laissée emporter par ce sentiment indigne de son comportement habituel, lorsque son regard se posa sur un spectacle qui en une seconde raviva son courroux. Son bureau avait été, certes, bien nettoyé, mais quelqu'un avait osé déplacer ses piles de dossiers.

Déjà en retard, Marie-France était maintenant incapable de remettre la main sur le dossier nécessaire à la réunion commencée depuis au moins un quart d'heure avec le directeur des ressources humaines. Devant l'impossibilité de retrouver son calme et son sang-froid, Marie-France sentit ses jambes défaillir sous elle. Son souffle devint court et sa vue se brouilla, un long sanglot sortit de sa gorge, de ce corps qu'elle ne dominait plus, qui lui semblait étranger. « Ce n'est pas possible, je ne dois pas craquer. Pas moi. Si quelqu'un me voyait. » Mais la panique fut la plus forte. Marie-France fit des efforts, tenta de rassembler ses forces, se leva, tituba comme si elle était ivre, pour finalement se laisser tomber dans un fauteuil. Elle était incapable de bouger. De grosses larmes ruisselaient sur son visage, qu'elle n'arrivait pas à retenir. Elle était catastrophée.

Le téléphone se mit à sonner comme pour la ramener à la réalité. Son regard se tourna vers l'appareil mais son bras refusa de décrocher le combiné. Elle laissa le téléphone sonner. Tout se bousculait dans sa tête, elle devait rêver. Comme le film d'une caméra, sa mémoire fit des retours en arrière, en accéléré, et fit défiler les signaux précurseurs de son état d'aujourd'hui. Contrainte de se rendre à l'évidence, réduite au plus simple rôle de spectatrice, elle laissa échapper : « Ça ne se peut pas, pas à moi… » Quand une collègue la trouva, toujours assise dans son fauteuil en train de pleurer, elle appela immédiatement le médecin de service. Après les examens de contrôle d'usage, le diagnostic tomba : surmenage entraînant un état dépressif.

2. Le parcours de l'épuisement

L'histoire de Marie-France est assez représentative de ce que nous appellerons parcours de l'épuisement.

Nous utilisons le mot « parcours » parce qu'il évoque assez bien l'idée qu'il existe, d'une histoire d'épuisement à l'autre, des modes de fonctionnement semblables, et cela malgré les différences individuelles dans le vécu même de l'épuisement.

En effet, nous avons pu constater chez d'autres infirmières épuisées que nous avons rencontrées, en entretien individuel, ou interrogées en vue de réaliser cet ouvrage, des façons semblables soit de gérer le stress soit d'aborder les tâches et les responsabilités. Dans tous les cas ces personnes suivaient un parcours presque identique dans leur façon même de s'épuiser.

À l'heure actuelle, cependant, peu d'auteurs ont véritablement mis en lumière les mécanismes en cause dans le processus de l'épuisement. Nous avons plutôt observé un intérêt assez marqué pour la description des symptômes de même que pour la suggestion de moyens concrets de pallier les manifestations de l'épuisement. La tendance générale a donc été de s'occuper de la personne au regard de ses symptômes et non au regard de son parcours !

Contrairement à cette tendance, Diane Bernier, dans une importante recherche menée auprès de travailleurs sociaux atteints d'épuisement mais qui s'en sont sortis, a pu établir ce que nous appellerons le parcours du recouvrement. Force est de constater que ces personnes dites « épuisées » avaient toutes suivi le même itinéraire avant de retrouver leur énergie. Elles avaient dans un premier temps nié leur état, puis progressivement accepté de reconnaître leur état d'épuisement. Ensuite, toutes avaient volontairement eu recours à une aide psychothérapeutique. Devant ces constats, Bernier conclut que pour se diriger vers la guérison toutes ces personnes avaient dû reconsidérer leur échelle de valeurs personnelles.

Nous aimerions établir avec le plus de clarté possible ce qui fait qu'une personne s'épuise alors qu'une autre reste en pleine forme dans une même situation. C'est à travers la connaissance du parcours de l'épuisement que nous pourrons en partie répondre à cette interrogation.

En nous référant à l'histoire de Marie-France, mais aussi à bien d'autres histoires individuelles, nous tenterons d'illustrer, point par point, les diverses étapes de ce parcours, de même que les principaux éléments favorisant la mise en route de l'épuisement. Puis nous mettrons l'accent bien évidemment sur les facteurs clés d'une démarche de prévention de l'épuisement.

B. L'éclairage de la bioénergie

Si nous nous référons à Pines, Aronson et Kafry, il est impossible d'aborder le thème de l'épuisement sans parler d'énergie. Nous partageons également cette opinion. En effet, lorsque nous sommes épuisés nous sommes en manque d'énergie ! Pourtant, peu d'auteurs en ont parlé de façon systématique. Nous croyons qu'il y a là un manque à combler et qu'il est essentiel de connaître plus à fond le fonctionnement de l'énergie si nous voulons apprendre à prévenir l'épuisement.

À l'heure actuelle le mot « énergie » soulève beaucoup de craintes même s'il suscite de l'intérêt. En effet, nous avons parlé d'énergie dans toutes sortes de contextes et pour toutes sortes de raisons. Parfois, il est associé à des approches spirituelles ou ésotériques, douteuses voire manipulatrices. En conséquence, nous nous méfions d'un terme qui au fond fait référence tout simplement à un phénomène naturel puisqu'il témoigne de la vie.

Afin de mieux situer ce concept de l'énergie tel que nous l'entendons dans l'étude de la prévention de l'épuisement, abordons-le à la lumière des travaux du docteur Alexander Lowen.

Selon ce dernier, « nous pouvons adopter la proposition fondamentale selon laquelle tous les processus vitaux font intervenir de l'énergie. Le mouvement, la sensation, la pensée et ces processus en viendraient à s'arrêter si l'apport d'énergie à l'organisme était gravement interrompu. » Nous allons donc considérer l'énergie comme le carburant de toute action humaine.

Lowen est l'auteur qui peut nous être de la plus grande utilité dans l'étude de la protection de l'énergie. Pour lui, l'énergie existe, elle se dépense et peut se renouveler. Lowen considère l'énergie de façon très pragmatique et très physique. Son approche s'intitule «la bioénergie». À travers elle, il nous donne des outils très concrets pour entrer en contact avec notre propre énergie ce qui nous permet de la renouveler.

Toujours selon Lowen, la personnalité ne peut pas être dissociée de l'énergie. La quantité d'énergie dont on dispose, la manière dont on l'utilise détermine la personnalité et cette dernière s'y reflète. Certains ont plus d'énergie que d'autres et certains sont plus contenus. Cependant, même les personnes qui ont de grandes ressources énergétiques ne sont pas à l'abri de l'épuisement tout comme le millionnaire n'est pas à l'abri de la faillite.

Lowen souligne que: «C'est chez un individu déprimé qu'on voit le plus clairement la relation entre l'énergie et la personnalité. Bien que la réaction dépressive et la tendance dépressive résultent de l'interaction de facteurs psychologiques et physiques combinés, il reste une évidence: le déprimé est également déprimé énergétiquement. Des études cinématographiques montrent qu'il n'accomplit qu'environ la moitié des mouvements spontanés usuels d'un individu non déprimé... Son état subjectif correspond souvent à ce portrait objectif. Il a généralement l'impression qu'il lui manque l'énergie qui lui permettrait de se déplacer... Dans son état, il lui est absolument impossible de s'intéresser à un but quelconque; littéralement, il n'a pas l'énergie de s'intéresser à quelque chose.»

1. Le potentiel énergétique

Nous connaissons tous de près ou de loin des personnes qui débordent d'énergie et d'autres qui sont toujours sur le point de s'effondrer. Si l'on reprend l'exemple de Marie-France, il nous semble évident, comparée à sa belle-mère, qu'elle est dotée d'une grande puissance énergétique. Comme le dit si bien Lowen, nous ne naissons pas tous avec le même potentiel d'énergie. En effet, nous avons tous pu constater que même à la pouponnière les bébés ne présentaient pas tous la même énergie. Certains, très énergiques, sont longuement éveillés, bougent et crient tandis que d'autres sont plus placides. Nous connaissons tous dans notre entourage des personnes débordantes d'énergie alors que d'autres ont de la difficulté à faire leur journée. Cela ne veut pas dire pour autant que ces personnes sont paresseuses ou lymphatiques. Au contraire, elles peuvent être vaillantes mais disposer de moins d'énergie qu'elles ne le souhaiteraient.

Cette constatation peut nous être fort utile à maints égards. Elle nous évitera entre autres choses des comparaisons aussi inutiles que déprimantes, tant pour nous que pour les autres. Il existe donc des différences de capital énergétique et nous devrons en tenir compte dans notre réflexion et en gestion des ressources humaines. Cependant, il convient de le rappeler, personne n'est à l'abri de l'épuisement. C'est d'ailleurs ce que nous avons pu constater dans le cas de Marie-France. Que nous disposions de beaucoup ou de peu d'énergie, il nous faudra apprendre à protéger notre capital énergétique.

Exercice

Les expressions concernant l'énergie

Nous vous proposons ici un exercice à deux niveaux. Il a pour but de vous aider à prendre conscience de l'énergie du moment et de la perception que vous avez de vous quant à votre potentiel énergétique. Repérez les expressions que vous utilisez le plus couramment pour décrire l'une ou l'autre de ces situations. Êtes-vous en pleine forme ou êtes-vous complètement à plat et au bout du rouleau ? Comme individu avez-vous de l'énergie à revendre ou au contraire êtes-vous sans ressort ou une petite nature ? Faites l'exercice le plus spontanément possible.

Quelle expression avez-vous l'habitude d'utiliser pour signifier que vous avez de l'énergie ?

Quelle expression avez-vous l'habitude d'utiliser pour signifier que vous manquez d'énergie ?

Comment vous percevez-vous quant à votre potentiel d'énergie ?

Quelle phrase illustrerait le mieux ce que vous pensez de vous par rapport à votre énergie ? Si vous avez du mal à exprimer cela, demandez à quelqu'un qui est proche de vous ce qu'il dirait de votre énergie.

Note : la perception que nous avons de notre énergie va incontestablement influencer notre façon de nous investir dans les différentes sphères de notre vie. Par exemple, une des personnes épuisées que nous avons rencontrées nous a dit : « Quand j'étais fatiguée, j'avais l'habitude de me dire en pensant à mon énergie : "Quand il n'y en aura plus il y en aura encore". Maintenant que j'ai retrouvé mes forces je sais que l'énergie peut se renouveler, mais je sais aussi que cette perception que j'avais de moi m'empêchait d'être réaliste dans mes investissements d'énergie. »

2. Lassitude, épuisement et dépression

Avant d'aborder notre définition de l'épuisement, nous aimerions tout d'abord faire une distinction entre plusieurs termes qui sont souvent utilisés indistinctement et qui viennent jeter la confusion dans les esprits au sujet de l'épuisement. Nous entendons de plus en plus souvent parler de telle ou telle personne qui est en « burn-out ». Y a-t-il une épidémie d'épuisement, ou ce terme est-il utilisé pour parler de situations et de diagnostics différents ? Veut-on parler de lassitude, de dépression ou d'un état de fatigue profond ?

La lassitude et l'épuisement présentent les mêmes symptômes à des degrés différents et leur origine est aussi différente. La lassitude est le résultat d'une pression de travail chronique et prolongée (physique, intellectuelle et émotionnelle). Elle est souvent associée à la routine et au manque de perspectives et d'autonomie dans le travail. La plupart des gens sombrent vite dans la lassitude lorsque la vie leur apporte beaucoup plus de stress que de soutien moral. C'est un état que la plupart des gens expérimentent au cours de leur vie. La lassitude se traduit par une fatigue physique et émotionnelle, un sentiment d'impuissance et une attitude négative vis-à-vis de soi, des autres et de son travail. Cette attitude se manifeste par une plus grande irritabilité, de l'impatience ou des débordements d'émotions soudains comme la colère ou les larmes.

Avec le temps, si rien n'intervient pour améliorer la situation, les symptômes de la lassitude augmentent en intensité et peuvent s'accompagner de manifestations psychosomatiques : troubles de l'appétit et du sommeil, difficultés de concentration, problèmes de santé mineurs, états dépressifs. Lorsque les symptômes de la lassitude ne sont pas repérés à temps et que rien n'est fait pour diminuer la tension, la lassitude peut se transformer en épuisement, c'est-à-dire un seuil de rupture où l'individu perd toute capacité d'affronter son milieu. La personne n'a plus l'énergie physique, psychique et émotionnelle nécessaire pour faire face à la moindre demande, que ce soit dans sa vie personnelle ou professionnelle.

L'épuisement est surtout amené par une pression émotive répétée et soutenue, lorsque la personne est impliquée intensément dans des situations émotionnellement stressantes et ce durant de longues périodes de temps. Mais l'épuisement survient surtout lorsque l'investissement énergétique dans ces situations ne fournit pas de retours satisfaisants permettant un renouvellement de l'énergie. C'est la raison pour laquelle la lassitude peut se retrouver dans toutes les formes de travail tandis que l'épuisement est beaucoup plus fréquent dans les professions qui impliquent une relation d'aide : professions sanitaires et sociales, éducation, gestion de personnel, etc.

La personne en voie d'épuisement ne peut plus rien donner. Elle cherche par divers moyens à se protéger des demandes de son travail et de ses patients. Ses retards et ses absences sont de plus en plus fréquents. Elle traite souvent ses collègues et ses patients de façon de plus en plus détachée, indifférente, voire hostile. Tôt ou tard, elle doit quitter son milieu de travail. Elle est incapable de fonctionner intellectuellement, physiquement ou émotionnellement. Elle peut se lever le matin et se sentir bien mais au bout d'une heure être complètement exténuée. Les simples problèmes de la vie quotidienne qu'elle rencontre deviennent insurmontables. Même réfléchir devient difficile. Les exigences et les demandes de ses proches peuvent créer chez elle un véritable sentiment de panique. La personne épuisée est vidée de ses énergies et tôt ou tard elle doit s'arrêter de travailler.

Plusieurs personnes confondent souvent les signes de l'épuisement et de la dépression. Les deux situations sont cependant très différentes. La personne qui souffre de dépression peut en effet se sentir triste, offrir un faible rendement au travail et souffrir de troubles de l'appétit et du sommeil. Mais les questions qui habitent cette personne sont généralement d'ordre existentiel et concernent le sens de sa vie.

À l'encontre de la personne déprimée, la personne épuisée ne se questionne pas nécessairement sur le sens de sa vie. Son travail ou ses engagements personnels la comblent et donnent une orientation à sa vie. Cependant, plus la période d'épuisement se prolonge et plus la personne épuisée risque de devenir déprimée surtout si elle ne voit plus le moment où elle pourra réintégrer son travail et en retirer à nouveau de la satisfaction. C'est plutôt l'absence du travail qui crée des états dépressifs chez certaines personnes épuisées. Il s'agit donc beaucoup plus d'états dépressifs secondaires et situationnels. Habituellement, l'état dépressif cesse lorsque la personne est bien soutenue et qu'elle accepte de se donner du temps de récupération.

a. L'épuisement: une faillite énergétique

Nous définissons simplement l'épuisement comme une faillite énergétique. Elle survient lorsqu'il y a déséquilibre entre les dépenses et les retours d'énergie. Ce n'est pas le fait d'utiliser notre énergie qui nous fragilise. À ce compte-là, nous serions tous plus ou moins à plat après quelques années de vie et cela sans espoir de remise en forme. C'est plutôt le fait d'être en déficit sur le plan des retours qui nous conduit tout droit vers l'épuisement.

Pour illustrer cette idée, prenons l'image du compte en banque. Imaginons que nous ayons tous un compte en banque énergétique qui est, dès la naissance, plus ou moins bien garni. Lorsque nous dépensons de l'énergie pour les autres — présence, écoute, affection, soins, soutien, etc. —, nous dépensons progressivement notre compte en banque. Les bénéficiaires de cette dépense d'énergie sont habituellement nos proches, parents, enfants ou amis ainsi que nos patients et nos collègues.

Si nous nous dépensons ainsi pendant une longue période de temps sans obtenir de retour, nous pouvons commencer à ressentir une baisse d'énergie. Que se passe-t-il alors ? Nos proches ou notre médecin de famille pourront nous dire : « Travaille moins », « prends des congés », « apprends à dire non ». En fait, que nous conseillent-ils ? De fermer les vannes de l'énergie pour ne pas vider notre compte en banque énergétique. Mais nous ne pouvons pas simplement arrêter de donner car nous avons des responsabilités et des engagements.

Mais, en réalité, ceux qui nous conseillent d'arrêter, de limiter nos investissements, oublient de considérer l'autre côté de la médaille. Si notre compte énergétique peut se vider, il peut et doit aussi se remplir pour maintenir notre équilibre et éviter la faillite. Notre compte en banque énergétique peut se renflouer grâce aux retours. C'est donc en comprenant mieux la notion de retour que nous verrons comment se renouvelle notre énergie.

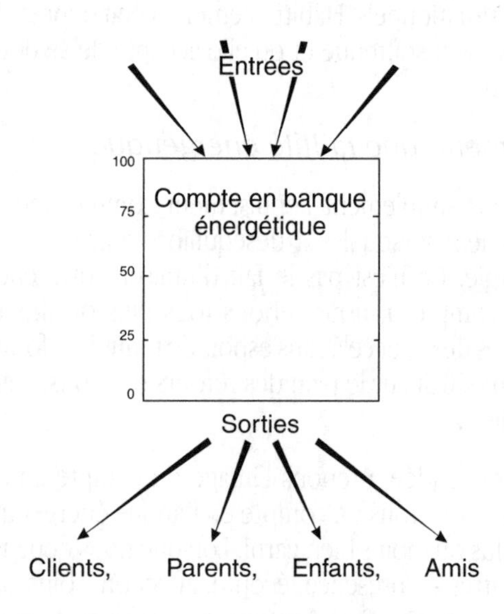

b. Le retour: pierre angulaire de l'équilibre énergétique

Le retour est une gratification plus ou moins tangible et immédiate pour nos investissements d'énergie. Bien que nous n'ayons pas été entraînés à nous y arrêter, nous savons qu'il est nécessaire d'avoir un certain retour pour nos actions. Nous savons que cela est important. Nous apprenons à nos enfants à nous dire merci et nous les encourageons à développer des attitudes de respect et de reconnaissance envers les autres. Il nous semble que ce n'est pas uniquement pour leur enseigner les règles de la bienséance que nous les éduquons en ce sens. Nous savons qu'un sourire, un remerciement ou une tape sur l'épaule, un cadeau ou toute autre marque de reconnaissance peut effacer bien des peines et peut même parfois faire pousser des ailes !

Les personnes épuisées le savent aussi. Elles le disent à leur façon. Elles le disent lorsqu'elles expriment leurs frustrations et leur souffrance, lorsqu'elles sont en manque de reconnaissance et de marques d'appréciation. Toutes les personnes épuisées que nous avons rencontrées nous ont dit à peu près ceci : « Mais qui est-ce qui me donne à moi ? » ou encore « Qu'est-ce que cela m'a donné de faire tout ça ? » Ces phrases nous démontrent d'une manière ou d'une autre qu'il est important d'obtenir un certain retour pour nos investissements d'énergie.

Le retour ne provient pas toujours de la personne ou de la situation pour laquelle ou dans laquelle nous avons dépensé notre énergie. Dans certains cas, le retour peut provenir d'autres sources que la ou les personnes auxquelles nous avons donné notre énergie. Nous pouvons œuvrer dans un milieu de travail qui donne peu de retour mais en contrepartie nous pouvons recevoir beaucoup de retour dans notre vie privée. L'inverse peut aussi se produire. Certaines personnes dépensent énormément d'énergie dans leur famille sans être vraiment appréciées alors qu'elles se sentent très valorisées au travail. Ainsi, certaines personnes réussissent à fonctionner sans s'épuiser dans des milieux qui ont tôt fait d'en ruiner d'autres au plan énergétique.

Ce qui peut constituer un retour valable pour une personne peut ne pas en être un pour une autre. Une promotion ou une augmentation de salaire pourra constituer un retour valable pour une personne mais ne sera pas un retour suffisamment gratifiant pour une autre. Une marque de reconnaissance donnera des ailes à l'une alors qu'elle éveillera la méfiance chez l'autre. La maîtrise d'une technique difficile et la guérison d'un malade pourront constituer un retour puissant pour certaines infirmières. Lorsque nous étudions de plus près le parcours de l'épuisement, nous pouvons observer une lacune dans la connaissance des besoins de retour et une certaine négligence à ce sujet. Soit que les personnes refusent les retours qui leur sont donnés ou encore soit qu'elles ignorent ce qui pour elles constitue un retour valable.

Les infirmières ne sont pas habituées à penser en termes de rentabilité lorsqu'elles parlent de leurs investissements d'énergie. Car en œuvrant dans le domaine de la santé elles ont plutôt compris qu'il fallait donner sans compter et sans espoir de retour. Elles ont appris, comme Marie-France, à effectuer des gestes gratuits et ont pour ainsi dire été conditionnées à l'altruisme. Bon nombre d'entre elles ont en horreur toutes les formes de comptabilité et de marchandage et il ne leur viendrait même pas à l'esprit de faire les comptes lorsqu'elles rendent service ou qu'elles s'acquittent de leur tâche.

Cependant, l'énergie a horreur du vide et de la gratuité. En fait, l'énergie ne fonctionne pas selon des critères moraux mais elle obéit plutôt aux lois de la physique et de la nature. En fait, il faut bien le dire, l'énergie se comporte de façon très pragmatique et ses investissements doivent rapporter des dividendes affectifs, matériels ou sociaux. Par exemple, si nous mettons beaucoup d'énergie à stimuler et aider nos enfants dans leur travail scolaire et que ceux-ci ont de bons résultats à l'école, nous avons un retour direct à notre investissement. Si nous rendons service à nos parents et que ceux-ci manifestent de la satisfaction et de l'affection, nous avons aussi un retour à notre investissement.

c. La gratuité: un danger pour l'équilibre énergétique

À ce jour, les soins infirmiers se sont organisés en profession mais il ne faut pas oublier qu'à l'origine, dans les sociétés occidentales, les soins étaient confiés aux ordres religieux féminins qui œuvraient dans les lieux ouverts aux nécessiteux : Hôtels-Dieu, Maison-Dieu, sont les noms que l'on donnait aux maisons où l'on soignait pour l'amour de Dieu.

Ainsi, comme le souligne Catherine Mordacq, l'origine des infirmières la plus clairement identifiable en tant que groupe social dans les pays d'Occident est celle des ordres religieux, liée à l'histoire du christianisme. Dans ce contexte, l'acte de soigner est totalement bénévole. Il procède pourrait-on dire de la rédemption. Marie-Françoise Collière rappelle que, dans l'histoire des femmes, la femme qui aide ne peut être rémunérée en argent. Les soins sont inscrits dans un système d'échanges où le remerciement se fait en avantages en nature. Ainsi l'infirmière est-elle prise en charge par la structure de soins qui l'emploie car le soin n'a pas de valeur économique, c'est une valeur culturelle.

Cette notion va persister longtemps et cette image de bénévolat à partir d'une vocation est encore fortement ancrée dans les représentations mentales de la profession. Cette longue histoire faite de dépendance, de soumission, de vocation, est comme inscrite dans une sorte d'inconscient collectif de la profession qui fait qu'encore aujourd'hui beaucoup d'infirmières ont du mal à s'autoriser à mettre des limites, à exiger la reconnaissance de leurs compétences, à se positionner comme de véritables professionnelles de la santé avec des devoirs mais aussi des droits.

Il est clair que les mouvements de protestation qui ont secoué le milieu infirmier français au cours de la dernière décennie, même s'ils ont fait aboutir des revendications salariales, n'ont pas tout réglé pour autant. Ce ne sont pas les retours sous forme de salaire qui pourront à eux seuls constituer le retour de l'infirmière. Les infirmières ont besoin d'un retour tangible et immédiat pour les actions qu'elles posent tout autant qu'elles ont besoin d'être justement rémunérées. Elles ont besoin de la reconnaissance et de la considération de leurs patients mais aussi du corps médical et des gestionnaires d'établissement.

À partir de l'intervention d'un État laïc, les infirmières ont commencé à recevoir un salaire et une certaine forme de reconnaissance sociale. Mais, en contrepartie de cette organisation, le travail est peut-être devenu plus technique dans bien des milieux hospitaliers, donnant ainsi moins de place à la communication et à la relation avec le malade. Le travail de l'infirmière est maintenant de plus en plus difficile. Dans le cadre des compressions budgétaires actuelles dans bien des pays occidentaux, et dans un souci technocratique de rationalisation, le personnel soignant doit maintenant s'inscrire dans une politique de maîtrise des coûts de santé.

Le cadre de pratique a changé certes, mais les motifs pour lesquels les infirmières ont choisi cette profession sont toujours les mêmes. Elles veulent venir en aide et soulager les souffrances humaines. Mais elles ne peuvent le faire gratuitement et ce ne sont pas les retours sous forme de salaire qui pourront à eux seuls constituer le retour de l'infirmière. Cependant, dans les conditions actuelles, les possibilités de recevoir des marques de reconnaissance semblent de plus en plus réduites. Les personnes qui sont impliquées en relation d'aide, quelle que soit leur profession, ont besoin d'être reconnues et appréciées tout comme elles ont besoin d'un salaire pour fonctionner. Le fait d'être rémunérées pour leurs soins et leur implication dans la relation d'aide n'enlève rien à la qualité du geste d'une part et ne comble en aucun cas les besoins de visibilité et de gratitude de l'infirmière.

L'infirmière reçoit souvent des marques de reconnaissance de la part des usagers du système de santé. Mais en reçoit-elle de la part de ses supérieurs hiérarchiques, des gestionnaires d'établissement ou des membres du corps médical? Se sent-elle reconnue par les pouvoirs publics? Les commentaires, les déceptions et les frustrations d'un grand nombre d'infirmières que nous avons rencontrées nous permettent d'en douter.

C. Résumé du chapitre

L'énergie est un phénomène qui témoigne de la vie. C'est le carburant de notre corps. L'énergie est répartie de façon inégale entre les individus. Certaines personnes ont plus d'énergie que d'autres. Mais quelle que soit la somme d'énergie dont nous disposons, personne n'est à l'abri de l'épuisement.

L'épuisement survient lorsqu'il y a absence de retour. Nous pouvons voir des différences individuelles dans la façon de vivre la situation d'épuisement. Mais il existe, d'une histoire d'épuisement à l'autre, des modes de fonctionnement qui sont semblables.

L'épuisement est une faillite énergétique qui survient lorsque nos dépenses d'énergie sont supérieures à nos retours d'énergie. En ce sens, pour protéger notre énergie il ne s'agit pas seulement de limiter notre investissement énergétique mais aussi de réfléchir à nos sources de retour énergétique.

La gratuité du don de soi est un mythe dangereux pour l'équilibre du compte en banque énergétique. Le processus de prévention de l'épuisement ne fonctionne pas selon des normes morales mais selon une réalité physique d'équilibre entre les entrées et les sorties d'énergie.

REPÈRES THÉORIQUES

LA BIOÉNERGIE

Psychothérapie à médiation corporelle, la bioénergie a été élaborée aux États-Unis par Alexander Lowen et John Pierrakos dans le courant des années cinquante. Elle s'enracine dans les travaux de Reich et de Freud. M. Arcand et L. Brissette, dans leur manière particulière d'envisager l'épuisement professionnel comme une faillite énergétique, se réfèrent à la vision que Lowen propose du fonctionnement psychosomatique de l'être humain. Ce dernier pose en effet comme hypothèse qu'il y a dans le corps une énergie fondamentale et qu'elle se manifeste sous forme de phénomènes psychiques ou somatiques. Tous les processus vitaux sont des manifestations de cette énergie qu'il nomme bioénergie. La mobilité, le flux, la décharge, l'accumulation, la rétention ou le blocage de cette bioénergie vont permettre une explication énergétique des principes de plaisir et de réalité, et de l'angoisse. La bioénergie est donc un moyen de comprendre la personnalité par le biais du corps et des processus énergétiques qui s'y déroulent. L'énergie dont chacun de nous dispose et la façon dont on l'utilise déterminent la façon dont on réagit aux situations vécues.

D. Références utiles

Arcand (M.) et Brissette (L.), *Prévenir l'épuisement en relation d'aide : guide d'autoformation*, Gaëtan Morin, Boucherville, 1994.
Engel (L.), *La Culpabilité : pour en finir avec la culpabilité et l'autopunition*, Le Jour, Montréal, 1992.
Monbourquette (J.), *Aimer, perdre et grandir*, Richelieu, Saint-Jean-sur-Richelieu, *s.d.*
Monbourquette (J.), *Comment pardonner ?*, Le Centurion, Paris, 1992.
Ruben (D.H.), *Le Sentiment de culpabilité : dix étapes pour s'en libérer*, Dangles, Paris, 1996.
Stern (E.E.), *La Femme indispensable*, De l'Homme, Montréal, 1989.

Chapitre 2

LA MOTIVATION À S'INVESTIR EN RELATION D'AIDE

Sur les conseils de son médecin, Marie-France s'est inscrite à un groupe de thérapie que nous avions mis sur pied. Celui-ci était principalement composé d'infirmières dont la plupart avaient déjà vécu, comme Marie-France, un épisode d'épuisement. Au cours de ces rencontres de groupe, lorsque nous avons abordé le thème de la motivation, Marie-France a semblé très surprise. Elle a même été choquée: « S'il y a une personne motivée dans le service, c'est bien moi, a-t-elle rétorqué, visiblement très contrariée. D'ailleurs, la majorité des infirmières que je connais sont toutes motivées. Je suis venue à ces rencontres pour me rétablir plus vite; non pour perdre mon temps à disserter sur des sujets que je connais déjà». D'un ton plus calme et plus bas, elle a ajouté désappointée: «Il aurait peut-être mieux valu que je sois moins motivée. »

Suite à son intervention un peu agressive, Marie-France eut l'air profondément ennuyée. Elle s'adressa de nouveau au groupe : «Je vous prie de bien vouloir m'excuser», puis elle se replongea dans le silence, se contentant d'écouter les autres membres du groupe s'entretenir de leur besoin de prendre soin des autres et de leur désir d'atténuer les souffrances humaines. Après avoir prêté beaucoup d'attention à ce qui se disait, elle reprit la parole : «Il est vrai que nous, les infirmières, sommes habituellement très motivées. Nous nous mettons facilement en mouvement et nous nous investissons dans les tâches qui nous sont confiées. Notre choix professionnel engage nos énergies vers le don de soi. Vouloir aider, vouloir soulager les souffrances, vouloir être utile, cela fait partie de notre identité.»

Marie-France poursuivit son laïus avec une pointe d'exaspération dans la voix. «Cette identité nous colle à la peau. Est-ce mal de vouloir aider les autres ? Faudrait-il que l'on se désintéresse des autres ? Je ne sais plus trop ce qu'il faut penser de cela mais je puis vous dire que dans mon service nous avons l'habitude de parler de motivation uniquement quand les gens sont démotivés et qu'il faut alors tout mettre en œuvre pour les remotiver. En conséquence, les remises en question concernant la motivation me semblent bien inutiles. »

Nous lui avons précisé qu'il s'agissait uniquement de mieux cerner la motivation et non de la juger ou de la remettre en question. Malgré le fait qu'elle soit encore ébranlée, Marie-France exprima son désir d'explorer ce thème plus à fond, puisqu'après tout elle avait accepté de participer à ces rencontres et qu'elle avait hâte de trouver une solution à son problème.

Les réactions de Marie-France ne nous ont pas particulièrement surprises puisque d'autres participantes avaient déjà réagi dans le même sens. Nous avions réalisé au cours de ce travail sur la motivation que cette interrogation soulevait une certaine anxiété. En effet, plusieurs infirmières avaient craint d'en arriver à la constatation suivante : elles n'auraient pas dû choisir de devenir infirmières. De plus, retenues par une certaine pudeur, il leur était bien difficile de nous confier ce qui les avait poussées à choisir cette profession. En cours de réflexion, elles se découvraient parfois empreintes d'une grande naïveté et avaient peur d'être jugées. « Faire un peu bonne sœur » n'est plus de très bon ton dans notre monde de battantes.

Outre ces craintes, le questionnement sur la motivation semblait peser sur les épaules des participantes et elles ne voyaient pas très clairement ce que cela pouvait leur apporter d'y réfléchir. Le fait de nous avoir dit qu'elles voulaient aider les autres devait en principe nous suffire ! Nous savions cependant qu'une meilleure connaissance de la motivation pouvait éventuellement faciliter la gestion des investissements d'énergie.

A. La motivation et les motifs

Selon le dictionnaire *Petit Robert*, la motivation est « la relation d'un acte aux motifs qui l'expliquent ou le justifient. » L'ensemble des motifs constitue donc la motivation d'une personne à s'investir dans une action. Le terme « motif » dérive lui-même du bas latin *motivus* ce qui signifie « qui met en mouvement ».

Les motifs constituent donc une forme d'énergie qui favorise l'action. Les identifier permet de comprendre le sens de l'investissement d'énergie tant dans l'intention que dans la direction de l'action. Les motifs mettent donc en mouvement en fonction d'un but. Il s'agit là d'une idée clé à retenir quant à nos motifs d'action.

D'autre part, ces motifs, c'est-à-dire ce qui fait naître ou entretient la motivation, sont de nature et d'importance variables selon les individus. En fait, ce qui motive une personne ne motivera pas nécessairement une autre personne. Un projet, un travail, une profession ou un poste en particulier ne mettra pas les individus en énergie et en mouvement de façon égale. Ainsi, il faut éviter de considérer le manque ou l'absence d'investissement comme un signe de paresse mais plutôt comme une absence de motifs à s'investir dans une action ou une situation précise. Cette connaissance est des plus importantes pour chacun de nous. Cela évitera bien des comparaisons douloureuses et culpabilisantes et nous donnera plutôt le désir de mieux connaître nos motifs de façon à nous orienter vers des actions qui vont dans le sens de ces motifs.

1. Les différents types de motifs

De manière générale, la motivation est issue de motifs d'action d'ordres divers : soit matériel et financier, soit affectif et relationnel ou moral et philosophique. Il peut y avoir aussi, dans certains contextes, des motifs qui soient purement d'ordre physiologique, c'est-à-dire reliés à la survie du corps humain. Mais là n'est pas notre propos. Nous retrouvons principalement, chez les infirmières, des motifs d'ordre moral et philosophique et d'ordre affectif et relationnel. Ces motifs se traduisent plus concrètement par le besoin d'aider, de soulager, de changer des choses, d'être près des gens, de se sentir utile et efficace, d'aimer et d'être aimé.

Les motifs d'ordre matériel et financier quant à eux occupent rarement le premier rang des motifs mentionnés par les infirmières quoique les jeunes infirmières pensent peut-être davantage à leur sécurité d'emploi et de revenu compte tenu des conditions sociales et économiques qui prévalent aujourd'hui.

Certains motifs sont très concrets telle la rémunération pour un travail accompli tandis que d'autres comme la reconnaissance sont plus abstraits. Certains motifs sont connus des infirmières. Elles les invoquent spontanément lorsque nous leur demandons pourquoi elles ont choisi leur profession. D'autres motifs moins identifiés peuvent se manifester à la conscience au cours du travail proposé, ce qui enrichit d'autant plus la connaissance de soi. L'émergence d'autres motifs peut surprendre voire heurter. À ce chapitre, certaines prises de conscience viennent parfois remettre en question l'image de soi. Des infirmières, par exemple, ont été surprises de réaliser à quel point elles avaient besoin de marques de reconnaissance alors qu'elles se croyaient altruistes. Elles ont parfois eu du mal à prendre conscience et à accepter leurs motifs d'action.

2. Les attentes : la clarification des attentes

La clarification des attentes est un moyen concret pour cerner nos motifs. Les attentes sont comparables à la pointe de l'iceberg tandis que les motifs constituent le glacier en lui-même. Les attentes se révèlent souvent par les déceptions et c'est souvent ainsi qu'il est possible de mieux les cerner. Marie-France, par exemple, attendait des remerciements concrets de la part de son mari et de sa belle-mère. Ces attentes pouvaient par ailleurs révéler des motifs plus profonds reliés à son besoin de prouver sa valeur d'épouse ou de mère ou encore le besoin d'être accepté par sa belle-famille ou le désir de se conformer à ses valeurs personnelles, évitant ainsi la culpabilisation. Les remerciements, tout en comblant ses attentes l'auraient confortée dans ses motifs d'action sans lui permettre toutefois de les identifier. Comme il y aurait eu un juste retour pour ses investissements d'énergie, Marie-France aurait pu continuer longtemps à s'investir tel qu'elle le faisait. Mais face à l'échec qu'elle vivait en n'arrivant pas à rendre sa belle-mère heureuse et autonome, elle a dû se rendre à l'évidence : elle devait valider sa valeur personnelle autrement. Au moins devait-elle rationaliser davantage ses investissements d'énergie auprès de sa belle-mère et nommer plus clairement ses attentes.

Dans leur culture professionnelle, les infirmières sont encore proches des valeurs reliées autrefois à la vocation c'est-à-dire l'altruisme et la gratuité. Le fait de les amener à réfléchir à leurs motifs peut être anxiogène pour elles parce que cela les amène à revoir la base même de leur investissement. Certains motifs sont conformes aux valeurs de leur profession alors que d'autres le sont moins. Par exemple celles qui disent travailler pour leur salaire se sentent souvent coupables d'avoir de tels motifs.

De plus, certaines infirmières pensent qu'en ayant des attentes elles enlèvent quelque chose à la qualité de la relation avec l'autre. D'ailleurs ces personnes se glorifient souvent de ne pas avoir d'attentes. La croyance qui se cache derrière cette idée est celle de la gratuité du don. Pourtant, dans toute situation relationnelle, il y a toujours des attentes, envers nous-même, envers les autres ou envers la situation. Consciemment ou non, nous nous mettons toujours en mouvement dans l'espoir d'obtenir quelque chose.

À travers les motifs, et plus spécifiquement les attentes, nous cherchons toujours à satisfaire nos besoins. Dans le geste d'aide, les besoins que nous cherchons à satisfaire ne sont pas toujours faciles à accepter surtout si nous entretenons nos illusions au sujet de la gratuité du geste. Marie-France a mis du temps à réaliser qu'elle voulait que sa belle-mère lui rende quelques petits services, qu'elle s'occupe un peu des enfants, qu'elle soit gentille avec eux et reconnaissante avec elle. C'est à travers la compréhension de ses exaspérations et de ses déceptions que Marie-France a pu prendre conscience de ses attentes.

Les déceptions et les frustrations sont le reflet en négatif de nos motivations et nos attentes. Ainsi, pour nous aider à mieux cerner nos motivations et nos attentes, examinons nos frustrations et nos déceptions : elles nous renseigneront sur ce que nous espérons obtenir en retour de nos actions.

B. Pourquoi identifier nos motifs et nos attentes ?

Pourquoi est-ce si important de cerner nos attentes et nos motifs et de faire le point sur l'état de notre motivation ? En prenant conscience de nos attentes et de nos motifs plus profonds, nous pourrons mieux évaluer les possibilités de retour dans une situation où nous investissons notre énergie. Est-ce que nous investissons à perte et sans possibilité de retour ou au contraire avons-nous des chances de renouveler nos énergies ?

Prenons l'exemple de Marie-France. On lui a appris dès son plus jeune âge à rendre service, à aider, à faire plaisir aux autres. Pour éviter de contrarier ses parents et de ce fait s'en sentir coupable, elle a dû travailler très dur. Pour plaire à son mari et à sa belle-mère, sans hésiter ni se demander si elle disposait des forces suffisantes pour le supporter, elle a accepté de partager son intimité et son toit avec sa belle-mère.

Cet engagement et cet investissement d'elle-même ont alors jour après jour pendant toutes ces années mobilisé la plus grande partie de son énergie. Marie-France était certes préparée depuis longtemps à s'investir et à donner. Mais elle n'était pas préparée à ce que les autres n'en soient pas reconnaissants. N'obtenant pas ce qu'elle estimait être en droit de recevoir, elle se sentit découragée et frustrée. Sa belle-mère n'a pas l'air plus heureuse de vivre avec eux et elle n'est pas plus autonome qu'après le décès de son mari, ses parents ne l'ont jamais remerciée pour toutes ces années où elle leur a fait cadeau de ses propres vacances pour les aider dans leur commerce. Dans son travail elle a toujours été irréprochable, elle n'a jamais été prise en défaut. Et ce matin-là il a suffi d'un dossier égaré.

Suite à cet exercice de réflexion sur la motivation, Marie-France a réalisé jusqu'à quel point elle ignorait quels étaient ses véritables attentes et ses motifs d'action. Bien sûr, comme tout le monde elle savait que les autres ne peuvent pas toujours deviner nos souhaits ou anticiper nos attentes ; elle savait qu'il fallait les exprimer clairement.

«Mais en pratique tout est tellement différent, nous confie-t-elle. Le poids de mon éducation qui stipule que rendre service est un acte gratuit m'a empêchée de réfléchir sur ma tendance naturelle à aider les autres. Je me plaisais à penser que j'agissais gratuitement. Je comprends maintenant que l'énergie ne fonctionne pas de cette façon. Je comprends aussi que je n'enlève rien à la valeur de mes actions de vouloir être "payée en retour". Je réalise également que je n'ai pas moins d'amour pour ceux à qui je rends service parce que je veux qu'ils soient reconnaissants et qu'ils me respectent. Je réalise que je n'ai peut-être pas besoin d'en faire autant pour être appréciée. De toute façon, si je ne suis pas appréciée lorsque je me respecte, je dois me poser de sérieuses questions. Maintenant je comprends mieux comment je me suis fragilisée. J'ai ignoré vers quoi je tendais, j'ai nié mes besoins de reconnaissance et j'ai cru que j'agissais gratuitement.

J'avoue que je suis encore un peu embrouillée avec la notion de retour et de gratuité. Je continue de penser qu'il est bon de rendre service sans rien attendre. En fait, un geste gratuit, ici et là, peut faire du bien mais je sais maintenant que le fait d'ignorer nos attentes et surtout nos limites c'est autre chose. »

En poursuivant l'exercice de repérage de ses frustrations, Marie-France s'est rendu compte qu'elle aurait apprécié que Laurent, son mari, lui dise combien il l'admirait et qu'il la remercie pour tout ce qu'elle faisait pour la famille et en particulier pour sa mère. Elle aurait apprécié recevoir des marques concrètes d'attention de la part de son mari. Elle aurait souhaité un peu plus de complicité entre eux et sentir du soutien et de la compréhension de sa part devant l'exigence toujours croissante de sa belle-mère. Elle aurait surtout apprécié de pouvoir s'évader avec lui, en tête-à-tête, quelques heures par semaine. Pourtant, jamais elle ne le lui a réclamé. S'il n'y pensait pas lui-même cela n'en valait pas la peine se mit-elle à penser intérieurement.

En fait, mieux connaître nos motifs et nos attentes nous permet d'éviter de subir des pertes énergétiques sans réagir. À partir du moment où nous sommes conscients de nos motifs et de nos attentes, nous ne subissons plus notre sort, nous ne sommes plus victimes des aléas de la vie car nous pouvons faire des choix. Nous avons alors un certain pouvoir sur notre vie, du moins en ce qui concerne celui de faire des demandes claires et de nous réajuster quant à nos objectifs.

Bien que difficile à traiter parce que complexe et suscitant des résistances, le thème de la motivation et des motifs doit être abordé dès le début de la démarche de réflexion sur la prévention de l'épuisement. En effet, ce thème constitue un élément clé dans le processus car il permet de comprendre la direction que prend l'investissement énergétique d'une personne. C'est un questionnement qui doit demeurer en filigrane tout au long de la démarche de réflexion.

Exercice

Vos motifs et votre motivation

Nous vous suggérons d'exécuter cet exercice en pensant à votre vie professionnelle ou à votre vie personnelle selon le milieu où vous « brûlez » davantage votre énergie. Pour vous aider à faire cet exercice, passez en revue certaines activités, certaines responsabilités ou certaines relations qui exigent beaucoup d'énergie de votre part. Qu'attendez-vous en retour de vos investissements ?

Quels sont vos principaux motifs à travers le don que vous faites de vous-même ? Voulez-vous gagner votre ciel, accumuler des indulgences, éviter la culpabilité, entretenir une image de vous que les autres aiment bien ou que vous aimez bien, voulez-vous éviter de décevoir ceux qui vous ont perçue comme une personne fiable, voulez-vous sécuriser vos proches ?

Que vivez-vous par le don de vous-même ? Est-ce que cela vous permet de donner un sens à votre vie ? Est-ce que cela vous permet de redonner ce que vous avez reçu ?

Quels sont vos motifs et vos attentes à vous investir en relation d'aide dans votre famille ou dans votre profession ? Pour vous aider à identifier vos motifs et vos attentes, réfléchissez aux deux questions suivantes :

- qu'est-ce qui vous frustre le plus lorsque vous vous dévouez pour les autres et qu'ils vous semblent peu reconnaissants ?
- quel a été l'objet de votre plus récent mouvement d'impatience, de votre plus récente colère ?

Que diriez-vous de votre motivation et de votre énergie ?

Pouvez-vous identifier les retours qui sont valables pour vous et qui vous redonnent de l'énergie ?

Trouvez-vous une juste adéquation entre ce que vous donnez et ce que vous recevez ?

Pouvez-vous vous nourrir ailleurs si vous n'obtenez pas de retours suffisants là où vous vous investissez le plus ?

La satisfaction du devoir accompli vous comble-t-elle ?

Ce que vous faites donne-t-il un sens à votre vie ?

Quelles sont les conclusions que vous pouvez tirer suite à cet exercice et suite à la lecture de ce chapitre ?

Note : cet exercice pousse le questionnement sur votre motivation à son maximum. Donnez-vous du temps pour le réaliser. Vous devrez sans doute y revenir tout au long de la démarche car vous aurez des éléments nouveaux pour vous permettre de compléter vos réponses.

C. Les façons d'investir nos énergies

Pour réfléchir à la prévention de l'épuisement, il importe de connaître en profondeur la direction de notre énergie. La conscience de nos motifs et de nos attentes nous permet de connaître cette direction. Mais ceci ne nous dit pas comment une personne s'investit pour aller dans cette direction. Son investissement peut prendre deux voies extrêmes et opposées, soit celle de l'altruisme soit celle de l'égocentrisme. Dans la première voie, l'altruiste investit son énergie sans vraiment se soucier de l'impact que cela aura sur lui et sur sa santé. L'altruiste donne son énergie aux autres sans compter.

Mais cela ne signifie pas que les motifs de la personne ayant des comportements altruistes sont différents de ceux de la personne égocentrique. Les deux peuvent avoir la même direction comme le besoin d'être aimé ou reconnu mais ils n'utilisent pas les mêmes moyens. L'altruiste utilisera la voie du don pour recevoir en retour amour ou reconnaissance tandis que l'égocentrique utilisera des comportements de manipulation, de victimes ou de plaintes. Il aura tendance à se préoccuper surtout de lui, à tout ramener à lui. Il sera toujours en demande vis-à-vis des autres car il se nourrit de l'énergie des autres.

Nous avons tous un jour ou l'autre fait l'expérience de rencontrer une personne qui nous accapare pendant des heures pour nous raconter ses problèmes, puis qui nous laisse vidé, épuisé. Ces personnes nous volent littéralement notre énergie, elles s'en nourrissent. Pourquoi les personnes égocentriques s'investiraient-elles dans la résolution de leurs problèmes quand quelqu'un d'autre peut le faire à leur place ?

1. Le triangle dramatique de Karpman

Stephen Karpman, analyste transactionnel, concepteur du fameux triangle dramatique, avance que toutes les fois où les gens mettent en place des relations piégées (appelées des « jeux » en analyse transactionnelle), ils adoptent l'un des trois rôles suivants : Sauveteur, Victime ou Persécuteur. Le Sauveteur cherche par définition quelqu'un qui paraît faible et démuni pour le secourir, le soutenir ou le sauver. La Victime pour sa part se présente comme une personne sans ressources, sans capacités et qui a besoin d'être sauvée. Les tandems Sauveteur-Victime sont très fréquents, tant dans la vie professionnelle que dans la vie personnelle.

Le Sauveteur veut tout faire pour sauver l'autre, pour résoudre ses problèmes, pour le rendre heureux. Le Sauveteur y met d'ailleurs davantage d'énergie que la personne aidée. Prenons l'exemple d'une infirmière qui travaille dans le domaine de l'alcoologie et qui adopte spontanément dans ses interventions un rôle de Sauveteur. Face à un patient qui manifeste un grand désarroi et un immense besoin d'aide, cette infirmière aura tendance à s'investir à fond dans la relation d'aide tant dans l'environnement professionnel du patient que dans son environnement familial. Malgré le fait que ce dernier ne soit pas toujours fidèle à ses rendez-vous, elle continue de le voir régulièrement en entretien individuel. Elle l'encadre, le conseille, l'incite à se prendre en main. Elle s'investit corps et âme pour qu'il change.

À la longue, cet encadrement constant et cette pléthore de conseils irritent la Victime. Elle se sent d'ailleurs beaucoup plus capable de s'organiser toute seule qu'elle ne veut bien le laisser croire à son Sauveteur. Au fil des jours, la Victime se met à développer une agressivité croissante vis-à-vis de l'infirmière devenue à son avis beaucoup trop exigeante pour elle. Ressentiment et agressivité vont très vite faire basculer la Victime dans le rôle de Persécuteur. La Victime en a assez, elle a le désir de fuir. Sa fuite pourra se traduire par une cuite mémorable qui durera plusieurs jours.

Le rôle du Persécuteur est un rôle transitoire. La Victime punit en quelque sorte le Sauveteur d'avoir voulu la sauver malgré elle. Elle le punit d'une façon subtile et terriblement efficace en gommant tout retour à son investissement d'énergie. En effet, notre infirmière s'attend à un succès professionnel par son travail acharné. Elle s'attend aussi à ce qu'une gratification affective accompagne ce succès : la reconnaissance du patient et de sa famille, la satisfaction de ses supérieurs ou sa propre satisfaction personnelle devant les résultats de l'intervention. Devant l'échec que représente la rechute de son patient, le Sauveteur a l'impression d'avoir personnellement échoué, d'être personnellement visé. L'infirmière se sent trahie « après tout ce qu'elle a fait pour lui ! »

La réaction spontanée du Sauveteur qui se sent trahi est d'adopter à son tour le rôle du Persécuteur. Le Sauveteur est en colère et agressif vis-à-vis de la Victime qui finalement reprend sa position initiale. La Victime exprime maintenant, en plus de son impuissance de départ, un fort sentiment de culpabilité. Elle se sent nulle, ingrate et sans valeur. Le Sauveur, de par sa nature même, ne peut rester bien longtemps dans la position du Persécuteur. Cela est d'autant plus sollicitant que la Victime exprime un remord profond. Le Sauveteur-Persécuteur se sent à son tour coupable de sa colère et de la violence de ses émotions. Il réintègre sa place habituelle de Sauveteur, non sans avoir laissé une bonne part de ses énergies dans la situation, et le jeu recommence.

De tels jeux sont très fréquents dans les domaines d'intervention qui impliquent des modifications de comportements chez les patients. Convaincre quelqu'un de changer est certainement l'entreprise la plus épuisante qui soit en relation d'aide. Les situations de violence conjugale, de consommation de drogue ou d'alcool, de délinquance en sont des illustrations parfaites. Dans un registre moins dramatique, le changement d'habitudes de vie comme le suivi de diètes strictes en est une autre illustration. Les patients bien souvent nous exaspèrent à ne pas vouloir changer, nous persistons à vouloir et à croire qu'ils vont changer. Mais la plupart du temps nous y travaillons et nous y croyons plus qu'eux-mêmes.

2. La position du Solidaire

Pour Steiner, un autre auteur en analyse transactionnelle, seule la solidarité permet de sortir de l'impasse du triangle Sauveteur-Victime-Persécuteur. L'infirmière solidaire croit aux capacités de l'autre et elle veut les mobiliser. Son but est l'autonomie bio-psycho-sociale de la personne. Elle fait en sorte de ne rien faire à la place du patient lorsque celui-ci peut le faire. Elle ne se précipite pas pour sauver le patient en lui imposant sa propre définition de ce qui doit être bon pour lui. L'infirmière qui se veut solidaire cherche d'abord à savoir ce que le patient attend d'elle. À partir de la clarification des attentes du patient, elle peut mieux situer ses possibilités d'intervention et ses limites. Lorsqu'elle s'aperçoit que le patient se désinvestit dans l'action et qu'elle travaille plus fort que lui, l'infirmière peut alors se demander si elle n'est pas en train de basculer dans le rôle de Sauveteur.

L'infirmière qui veut être réaliste quant à son investissement d'énergie ne doit être ni égocentrique ni altruiste. Elle ne cherche pas à sauver le monde et adopte une position de solidarité à l'égard des personnes qui requièrent son aide. Face à une demande, elle tient compte de ses besoins personnels, des besoins et des capacités des autres ainsi que du contexte dans lequel se situe la demande.

L'infirmière réaliste et solidaire s'investit judicieusement dans l'action. Elle ne se précipite pas. Elle tient toujours compte du contexte d'une demande, du moment de la demande, de la disponibilité et de l'énergie dont elle dispose à ce moment. Elle prend le temps de réfléchir avant de passer à l'action. Si Marie-France avait pu réfléchir à ses motifs et à ses limites avant de prendre la décision d'accueillir sa belle-mère, peut-être l'aurait-elle fait de façon différente. Les personnes qui débordent d'énergie ont tendance à manquer de jugement en évaluant mal les investissements énergétiques reliés à une tâche ou un engagement. Elles ne sentent pas leurs limites.

Cela ne signifie pas que les infirmières solidaires soient désengagées, froides ou distantes par rapport à leurs patients. Les infirmières et les soignants en général doivent faire des efforts pour adopter une « sollicitude détachée », terme inventé par Lief et Fox dans les années soixante pour définir cette attitude où « le soignant empathique devient suffisamment détaché ou objectif à l'égard de son patient pour pouvoir faire preuve de jugement médical ou infirmier sain, en conservant suffisamment de sollicitude pour pouvoir dispenser des soins sensibles et compréhensifs. Ainsi, c'est le patient plutôt que son foie, son cœur ou même son état mental qui devient l'objet de la sollicitude du soignant. »

Cette forme de sollicitude chez l'infirmière l'amène à être assez détachée et objective pour mettre en avant l'objectif du patient plutôt que le sien propre. La sollicitude détachée l'amène aussi à voir d'abord le processus de l'intervention avant même l'aspect affectif de la relation. D'ailleurs diverses recherches démontrent que les patients exigent un certain équilibre entre l'aide et la compréhension personnelle d'une part et, d'autre part, un diagnostic expert et des interventions efficaces.

Une infirmière peut adopter une position de solidarité, exiger une participation active de la part de son patient, poser ses limites fermement tout en gardant un contact empathique et chaleureux avec lui. Ainsi, risque-t-elle moins d'adopter ultérieurement un rôle de Persécuteur qui la rendrait coupable par rapport au patient. Mais si les motifs qui poussent une infirmière à s'investir dans le rôle du Sauveur correspondent à de forts besoins de reconnaissance et d'affection, elle pourra ressentir quelques difficultés à adopter une attitude de sollicitude détachée et à prendre une position de solidarité en relation d'aide.

Cette réflexion sur la motivation et sur la façon dont vous investissez votre énergie en relation d'aide peut être déstabilisante. Toutefois, elle est capitale pour une bonne gestion des énergies et pour la prévention de l'épuisement. Elle peut être déstabilisante en ce sens qu'elle va invariablement obliger à réfléchir sur la question du pouvoir personnel que nous nous octroyons dans une situation. Cela vaut tout autant pour nous, thérapeutes, que pour vous, infirmières, qui êtes impliquées auprès des malades. Le terme « pouvoir » à lui seul peut faire peur ou induire la réflexion dans la direction des abus de pouvoir. Certes les abus de pouvoir existent mais ici en parlant de pouvoir nous voulons surtout aiguillonner la réflexion vers notre capacité réelle à changer l'autre, à le rendre heureux ou satisfait de sa vie.

Dans notre travail clinique sur l'épuisement nous avons observé une grande correspondance entre l'épuisement et le désir de changer l'autre. Au cours de votre formation d'infirmière vous avez travaillé ce thème bien sûr, mais le principe en lui-même n'amène pas automatiquement le comportement correspondant. Malgré votre bonne volonté et malgré votre désir de soulager le patient, force vous sera parfois de réaliser que vous ne pourrez changer l'autre ou que vous ne pourrez d'aucune manière soulager sa peine et guérir ses blessures narcissiques par exemple. En fait, vous ne pourrez refaire son parcours de vie. En réalisant cela vous aurez à reconsidérer sans aucun doute la direction de vos investissements d'énergie.

Cette réflexion sur la motivation sera valable ou « rentable » dans la mesure où vous prendrez le temps d'identifier vos motifs d'action. C'est dans cet objectif que nous vous proposons l'exercice suivant.

Exercice

Mon pouvoir d'action sur l'autre

Croyez-vous avoir du pouvoir sur vos motifs d'action et sur vos attentes ?

Avez-vous du pouvoir sur les retours que les autres vous accordent ?

Que peut faire Marie-France si sa belle-mère n'est pas heureuse ?

Jusqu'où doit-elle aller pour tenter de pallier cet état ?

Avez-vous du contrôle sur le pardon ou l'approbation que les autres peuvent vous accorder ou vous donner ?

Croyez-vous avoir du pouvoir sur le bonheur ou la peine des autres ?

Qu'est-ce qui vous interpelle le plus dans cette énumération ?

Tentez de vérifier le pouvoir que vous avez dans les situations où vous investissez votre énergie. En d'autres termes, qu'est-ce qui vous appartient et qu'est-ce qui appartient aux autres ?

Note : il n'est pas nécessairement facile de répondre à cette question, mais nous vous suggérons de vous la reposer régulièrement surtout si vous réalisez que vous foncez tête baissée dans les différentes demandes qui vous sont faites.

Des demandes il y en aura toujours et, en elles-mêmes, elles n'ont aucun pouvoir sinon celui que vous leur laissez. Nous avons en effet constaté, dans notre pratique, que plusieurs aidants familiaux, infirmières ou professionnels de la relation d'aide avaient de la difficulté à prendre une distance émotionnelle face à une demande. Ils avaient effectivement une grande difficulté à mettre un espace-temps entre la demande et la réponse à la demande, ce qui ne leur laissait que peu de temps pour analyser la situation. Nous ne parlons évidemment pas des demandes faites en situation d'urgence mais des demandes qui impliquent un investissement à long terme comme c'était le cas pour la belle-mère de Marie-France.

Les demandes insidieuses qui sont faites à travers l'exposé répété de doléances ou de frustrations sur lesquelles nous n'avons aucun pouvoir sont également difficiles à gérer. Plusieurs aides-soignantes nous ont parlé de leur grande difficulté à entendre jour après jour les récits de vie dramatiques et les plaintes des personnes âgées qu'elles devaient côtoyer tous les jours dans leur pratique. Ces jérémiades semblent les démoraliser au plus haut point car elles ne savent pas comment réagir dans de telles situations. Et lorsqu'elles nous en parlaient, nous sentions leur lassitude et leur détresse. En se questionnant sur leurs motivations, elles ont pris conscience qu'une grande part de leur énergie allait dans le sens de vouloir que les plaintes cessent ou que leurs patients soient plus heureux ou mieux dans leur peau. Contemplant jour après jour leur échec du fait que leurs motifs d'action d'ordre affectif et relationnel ne trouvaient pas une juste adéquation, elles se démoralisaient et se démotivaient. Il n'y avait pas d'équilibre entre leur investissement d'énergie et les retours escomptés.

D. Résumé du chapitre

La motivation résulte des motifs et des attentes. C'est la motivation qui met en mouvement et qui traduit d'une certaine manière l'énergie disponible à investir dans une situation. En termes plus concrets, la motivation est le moteur de l'action.

Les motifs qui sous-tendent la motivation peuvent être d'ordre philosophique et moral, d'ordre affectif et relationnel ou d'ordre matériel et financier. Les motifs ne se jugent pas, ils se constatent.

Les attentes traduisent les motifs et elles permettent d'identifier plus concrètement le but visé par l'investissement d'énergie.

L'identification des motifs est fort utile en prévention de l'épuisement car cela permet notamment de clarifier la direction des investissements d'énergie de même que la façon de s'investir en relation d'aide.

La position de solidarité de même que l'attitude de sollicitude détachée qui tient compte de soi, des autres et du contexte est une option de maturité et de réalisme quant à la protection des énergies.

La motivation est un sujet vaste et complexe qui présuppose plusieurs facteurs ou corrélats qui mériteraient d'être définis, tels objectifs et buts, croyances et valeurs, choix, préférences, besoins, etc. Le mot « motivation » s'emploie souvent au pluriel pour désigner les multiples facteurs qui mettent en mouvement. En comprenant mieux la motivation on peut éventuellement anticiper les résistances aux changements et cela est particulièrement précieux dans le sujet qui nous occupe.

Pour étudier la motivation, plusieurs modèles furent proposés dont le modèle homéostatique, le modèle dynamique, le modèle cognitif et humaniste. Le modèle humaniste moins défini parce que multiréférant, et beaucoup plus vaste que les précédents, est représenté par A. Maslow, Allport, et Rogers principalement. Pour ces derniers, la motivation semble faire intervenir des mobiles émanant de l'être tout entier. Il semble que, dans le domaine de la motivation plus que dans tout autre, l'information et la prise de conscience de son propre fonctionnement et de ses propres structures soient la méthode la plus efficace pour induire le changement chez l'être socialisé.

REPÈRES THÉORIQUES

L'ANALYSE TRANSACTIONNELLE

Fondée dans les années soixante aux États-Unis par Éric Berne, l'analyse transactionnelle est une théorie du développement de la personne, un modèle de psychologie sociale centré sur les échanges entre les personnes, et une approche thérapeutique. Une idée force de Berne est que les êtres humains ont fondamentalement besoin pour vivre de recevoir des signes de reconnaissance. C'est en quelque sorte le carburant de la vie psychique des individus. Comme il y a là un enjeu vital, l'être humain utilise une grande partie de son énergie à rechercher activement toutes sortes de signes de reconnaissance, des positifs comme des négatifs. Dans le monde du travail, cette recherche est à la base de la majorité des comportements observables. Lorsqu'il est en manque de signes de reconnaissance, l'être humain va mettre en place des stratagèmes de communication piégée que l'on appelle des « jeux », qui ont la particularité d'être une source majeure de signes de reconnaissance, à ceci près qu'ils sont tous négatifs ! Lorsque de façon plus ou moins consciente nous nous engageons dans une profession d'aide avec l'espoir caché qu'enfin nous allons être reconnues, gratifiées pour notre dévouement aux autres, il y a fort à parier que nous nous engageons dans la relation soignant-patient à partir d'une position de Sauveteur. Ceci nous permet de nous maintenir individuellement et collectivement dans une sorte de victimisation permanente sur le mode « regardez comme nous sommes peu reconnues et prises en compte après tout ce que nous avons fait... ! »

E. Références utiles

English (F.), « Qui suis-je face à toi ? », in *Analyse transactionnelle et relations humaines,* Hommes et groupes, Paris, 1987.

Fourcade (J.-M.), et Lenhardt (V.), *Analyse transactionnelle et bioénergie,* Éditions universitaires, Paris, 1984.

Steiner (C.), *À quoi jouent les alcooliques?*, ÉPI, *s.l.*, 1984.
Steiner (C.), *Des scénarios et des hommes*, ÉPI, *s.l.*, 1984.
Stewart (I.), et Joines (V.), *Manuel d'analyse transactionnelle*, Interéditions, *s.l.*, 1991.
Trocmé-Fabre (H.), *J'apprends, donc je suis*, Les Éditions d'organisation, Paris, 1987.

Chapitre 3

LA CULPABILITÉ ET LA RESPONSABILITÉ

A. La culpabilité

Le fait de ressentir de la culpabilité n'a rien d'exceptionnel chez l'infirmière. En fait, qui d'entre nous ne s'est jamais sentie coupable? Marie-France, comme bien d'autres de ses collègues, se sentait coupable pour tout et pour rien. C'est pour ainsi dire un sentiment quotidien avec lequel les infirmières mais aussi la plupart des femmes ont appris à vivre. Elles ont un tel souci de bien faire que tout écart de conduite les culpabilise. Lucie a été principalement touchée par une patiente atteinte d'un cancer des os :

« Je n'arrivais pas à la calmer et je voulais lui donner un peu de joie avant qu'elle ne meure. Je passais des heures à son chevet. Je ne sais pas trop pourquoi, peut-être parce qu'elle avait le même âge que moi, mais cette patiente m'était plus sympathique que les autres. Elle me faisait peine à voir et j'y pensais pour ainsi dire jour et nuit. Je repassais en vue mes moindres gestes et je me demandais si j'avais bien agi, si j'avais eu le bon geste ou la bonne parole. Pouvais-je faire quelque chose pour la soulager physiquement et moralement? La culpabilité occupait une grande partie de mes pensées.

C'était la même chose vis-à-vis de mes enfants. Si je perdais patience, je me sentais extrêmement mal et lorsqu'ils dormaient j'allais les voir et je pleurais. Je me disais que j'aurais dû être plus patiente, que je n'aurais pas dû les accuser si rapidement et les écouter davantage. Je me disais que si j'étais plus souvent à la maison je serais sûrement moins impatiente. Je prenais des résolutions pour faire mieux !

Ma mère aussi occupait mes pensées. Elle vivait seule depuis le décès de mon père. Elle s'ennuyait et je ne lui rendais visite que quelques heures par mois. Elle habitait à plusieurs kilomètres de chez moi et je n'étais pas toujours en forme après ma semaine de travail pour lui rendre visite. Quand je partais, elle pleurait et je me reprochais mon manque de courage et mon égoïsme. Je pensais souvent que j'aurais pu faire mieux. Peut-être aurais-je pu la prendre avec moi ?
Lorsque ma surveillante se plaignait que le travail n'était pas bien fait je me sentais toujours visée personnellement. Je redoublais d'ardeur. Une fois j'étais allée lui demander si elle parlait de moi. Elle m'a dit que si je me sentais visée c'est que j'avais peut-être quelque chose à me reprocher… Je n'en ai pas dormi de la nuit et j'ai demandé à quelques collègues ce qu'elles pensaient de mon travail. Aujourd'hui, complètement détachée de cette façon de penser, je sais à quel point cela peut faire du tort et épuiser. On y engloutit beaucoup d'énergie. Alors j'ai voulu retracer les racines de ce mécanisme de culpabilisation ! »

Choisir une profession ne se fait pas par hasard. La personne qui choisit une carrière lui permettant de pouvoir aider les autres est habituellement de nature attentive aux besoins d'autrui. C'est là un trait de caractère qu'elle a sans doute acquis dès son enfance. Cette personne est souvent une aînée de famille et elle a appris relativement tôt à prendre des responsabilités, à aider sa mère et à s'occuper des autres frères et sœurs. Pensons à cette infirmière qui nous confiait que : « Suite à une formation sur la prévention de l'épuisement, j'avais décidé de prendre scrupuleusement mes pauses le matin et l'après-midi. Après quelques jours, j'avais subi tellement de pressions subtiles de la part de mes collègues que j'ai dû rentrer dans les rangs. Je me sentais coupable de mon manque de zèle et de partir me reposer pendant que les autres continuaient de courir. »

Le mécanisme de la culpabilité nous maintient dans certaines normes de comportement. C'est une autopunition que nous nous imposons pour avoir failli à des normes sociales ou morales ou à des exigences que nous nous imposons ou qui nous sont imposées. Il a pour objectif premier de régler le comportement humain en amenant un individu à se conformer à certaines règles notamment de savoir-vivre, de bienséance, de partage, de civisme, de charité et de moralité. Ces règles se réfèrent d'abord à des normes familiales, sociales, groupales et parfois religieuses. Elles permettent entre autres choses de maintenir la cohésion dans la société. Elles se réfèrent parfois aussi à des normes professionnelles ou à des normes du milieu de travail (comme nous l'avons déjà vu au sujet du zèle). Les origines à la fois religieuses et médicales de la profession d'infirmière expliquent que les normes et les règles de ces institutions peuvent encore influencer les exigences de la profession.

La plupart des gens adoptent ces règles sans s'arrêter vraiment sur leur fondement, parce qu'elles leur ont été inculquées depuis leur plus tendre enfance. Celles-ci font généralement partie de l'éducation et de la culture dans un milieu donné. Les normes se transmettent naturellement et subtilement de génération en génération. Si nous avons tant de mal à les remettre en question, c'est en grande partie parce qu'elles n'ont jamais été ni identifiées ni expliquées. Elles font partie des acquis. Petit à petit, ces règles exercent sournoisement des pressions sur les individus, les incitant à se culpabiliser ou à se laisser culpabiliser par les autres.

Certes, il importe d'apprendre à se conformer à des règles de conduite, mais il importe aussi et surtout d'apprendre à réfléchir aux normes qui nous sont imposées ou que nous nous imposons. Il faut s'interroger sur l'origine d'une norme, sur les raisons qui sous-tendent son implantation de même qu'aux intérêts qu'elle sert. La réflexion doit pouvoir se faire sans la pression de la culpabilité. D'ailleurs la culpabilité est une émotion puissante et nous savons tous que lorsque nous sommes submergés par une émotion nous avons beaucoup de mal à réfléchir de façon rationnelle.

Les personnes qui se culpabilisent facilement ou qui sont facilement culpabilisables se laissent imposer ou s'imposent elles-mêmes des normes qui ne leur conviennent pas toujours et cela sans les remettre en cause, que ce soit dans leur vie personnelle ou dans leur vie professionnelle. Une étude américaine (Lipowski, 1975) menée auprès de « cols blancs » vivant une surcharge de travail a démontré que la surcharge quantitative subie par ces employés était généralement auto-imposée et liée aux objectifs qu'eux-mêmes s'étaient fixés. Dans le cas de Lucie, nous pouvons voir que la culpabilité qu'elle ressent par rapport à sa patiente cancéreuse n'a pas été induite par la malade elle-même ou par son milieu de travail. Elle se culpabilise en fonction d'exigences qu'elle-même s'impose et en fonction de ce qu'elle croit être de son devoir. Marie-France se culpabilise parce que sa belle-mère n'est pas heureuse, mais qui lui a imposé l'objectif de la rendre heureuse? La culpabilisation peut entraîner un surinvestissement et elle peut conduire à une évaluation erronée des attentes des autres. De plus, elle peut altérer notre jugement quant à nos limites et quant à nos propres besoins.

Les contraintes contextuelles de même que les pressions exercées par un tiers n'ont pas le même impact chez toutes les personnes. En effet, nous différons les uns des autres dans notre vulnérabilité à la culpabilisation. Certaines personnes s'affranchissent plus rapidement que d'autres du joug parental par exemple ou elles se réconcilient plus facilement avec elles-mêmes suite à des fautes commises. Notons ici que certains modèles éducatifs où les parents utilisent souvent le chantage affectif ou encore certains milieux de travail mettant surtout l'accent sur les erreurs et les fautes prédisposent plus que d'autres à la culpabilité.

Selon Muchielli, la culpabilité est née d'une éducation faite d'humiliation, de honte, de chantage affectif, de reproches. La personne souffrant d'un complexe de culpabilité se sent coupable de tout plaisir, sexuel ou autre, coupable de ses erreurs et de ses fautes, coupable de ses pensées, coupable chaque fois qu'elle ne respecte pas les principes religieux et moraux qui lui ont été inculqués, coupable aussi du malheur et de la souffrance des autres.

1. Les valeurs associées au rôle d'infirmière

Les valeurs jouent un rôle très important dans la vie de chacun d'entre nous. Elles guident nos actions et donnent une couleur à l'ensemble de notre personnalité. Ce sont les valeurs qui nous permettent d'opter pour un comportement plutôt qu'un autre. Elles sont à la base de la plupart des normes sociales.

À partir des témoignages que nous avons reçus et des souffrances qui nous ont été confiées, nous avons dressé une liste non exhaustive des valeurs les plus couramment mentionnées par les infirmières (nous les présentons suivant un classement alphabétique sans y mettre un ordre d'importance) :

– Abnégation
– Altruisme
– Bonté
– Charité
– Compétence
– Concordance
– Dévouement
– Droiture
– Efficacité
– Engagement
– Équité
– Franchise
– Fraternité
– Gentillesse
– Humilité
– Justice
– Partage
– Perfectionnisme
– Ponctualité
– Professionnalisme
– Respect de l'autre
– Respect de la parole donnée
– Sagesse
– Solidarité
– Tolérance

Les valeurs rattachées au rôle d'infirmière sont largement encouragées par les attentes que la population entretient envers ces dernières. Les infirmières doivent être toujours aimables, souriantes, affables, patientes, compétentes, efficaces, rapides, empressées, engagées, disponibles, attentives, compatissantes, dévouées, organisées, bien mises, attrayantes, propres... et quoi d'autre encore ?

Elles ne peuvent en aucun cas défaillir. Elles sont responsables de gens malades qui dépendent d'elles et qui comptent sur elles. Elles n'exercent pas une profession, mais doivent avoir la vocation pense-t-on secrètement. Nous tous comme citoyens chargeons l'infirmière de lourdes responsabilités et contribuons à ancrer leur valeur d'abnégation et leurs attitudes de surresponsabilisation.

La surresponsabilité est un processus qui prend souvent racine dans un terrain de gratification et de valorisation. « Méfiez-vous de tout flatteur car il vit aux dépens de celui qui l'écoute » dit le renard au corbeau dans la fable de La Fontaine. Il n'est pas facile de déterminer toujours avec une grande précision ce qui relève de la responsabilité ou ce qui relève de la surresponsabilité. Les normes qui dictent notre comportement prennent souvent racines dans notre enfance. Dans les familles par exemple, une mère débordée et fatiguée encourage un de ses enfants à la seconder en l'enjoignant de lui faire plaisir. Quand un enfant dit : « Ce n'est pas à moi de faire ça ! », que lui répond habituellement le parent ? « Allez, sois gentille, fais-le pour moi »... Lorsqu'une enfant se dispute avec son frère ou sa sœur, que lui dit le parent ? « Tu es la plus vieille, la plus gentille ».

La surresponsabilité est une façon d'être qui fait partie de l'image de soi. Nous percevons que les autres nous voient de cette manière ; nous nous sentons alors valorisés, nous intégrons cette image valorisante et nous nous y conformons. Il est si facile de prendre les responsabilités qui ne nous appartiennent pas. Lorsque plus tard nous essayons d'en déroger, nous nous sentons très vite hors la loi, mal à l'aise, tiraillés entre les besoins des autres et nos propres besoins. Nous pouvons échapper à ce malaise en acceptant de prendre toutes les responsabilités que l'on nous confie et souvent en nous surresponsabilisant. L'expérience de Carole est édifiante :

« **D**ans mon service de soins à domicile, j'ai dû, à la demande d'une famille, prendre en charge une femme très âgée et malade. Au fil des mois, j'ai tenté désespérément de trouver les meilleures solutions pour répondre pleinement aux multiples besoins de cette femme. Mais à chaque fois je me heurtais à la famille qui semblait toujours insatisfaite. Soit ils se sentaient trop impliqués, soit cela leur coûtait trop cher. Je devenais incapable de répondre à la demande. Je finissais par croire que j'avais un problème. En réalité cette famille s'était peu à peu confortablement déchargée de ses problèmes en me convainquant qu'ils étaient miens. J'étais la seule à me sentir coupable. Coupable de ne pouvoir gérer cette lourde responsabilité : les satisfaire. Habituée à me débrouiller, d'ordinaire organisée et plutôt créative, jamais je n'avais eu à me plaindre à ma direction. Mais cette fois-ci, malgré mes talents reconnus de négociatrice avertie, j'avais besoin d'aide et personne ne semblait s'en soucier. Il est vrai que j'étais habituée à endosser les souffrances et les fatigues des autres ; j'ai souvent préféré être moi-même fatiguée et accablée que me sentir coupable de ne rien faire. Aujourd'hui je réalise combien le fait de me surresponsabiliser m'avait permis de ne jamais me sentir coupable. »

Les demandes et les attentes de la famille étaient impossibles à assumer pour Carole. Elle restait seule avec le problème de la famille et tentait de satisfaire tout le monde. Elle avait pris le problème des autres sans trop y réfléchir et leur problème était devenu le sien. De plus, elle avait « placé la barre très haut » en se donnant pour objectif de satisfaire la famille. La surresponsabilisation de Carole l'a amenée à se fixer des objectifs irréalistes, et le fait de ne pas atteindre ces objectifs a entraîné de la culpabilisation chez elle. Dans le cas de Carole, nous pouvons très bien constater le lien entre la surresponsabilité et la culpabilité.

Dans d'autres cas, c'est la culpabilité qui peut entraîner la surresponsabilité. Nous pourrions illustrer ce phénomène à l'aide d'une image que nous appelons la spirale de la culpabilité en l'appliquant à des situations que nous avons tous vécues soit avec nos enfants ou soit avec les malades. Par exemple, si nous acceptons une charge trop lourde ou si nous tolérons longtemps une situation sans nous mettre de limites, nous accumulons de la fatigue, de la frustration voire de l'agressivité. Cette agressivité peut se transformer en colère à l'égard de la personne que nous aidons. Si cette colère se manifeste ouvertement en paroles blessantes, en cris ou en gestes, nous nous sentons immédiatement coupables car nous n'aurions pas dû avoir ce comportement envers une personne qui dépend de nous ou une personne que nous aimons.

Pour effacer le plus rapidement possible le sentiment de culpabilité que faisons-nous ? Nous avons tendance, rapidement et sans réfléchir, à vouloir nous racheter et nous nous investissons doublement. Nous redoublons de patience, de gentillesse ou de tolérance. Mais qu'arrive-t-il alors ? Dans ce cas de figure, la personne blessée peut en profiter pour augmenter ses exigences et, même si cela n'est pas le cas, ce double investissement de rachat peut nous ramener dans notre situation de départ c'est-à-dire dans une accumulation de frustration et d'agressivité. Le processus spiralé va recommencer en s'aggravant aussi longtemps qu'un événement extérieur ne viendra pas briser le mouvement. Lorsque cette situation d'escalade perdure, la culpabilité peut conduire à l'épuisement de l'aide professionnelle ou de l'aide familiale, car à chaque fois que le phénomène se produit, la personne s'enfonce davantage dans la voie de l'épuisement par surresponsabilisation en situation de faible retour. Nous avons appelé ce phénomène la spirale de la culpabilité. Voici graphiquement comment nous l'illustrons :

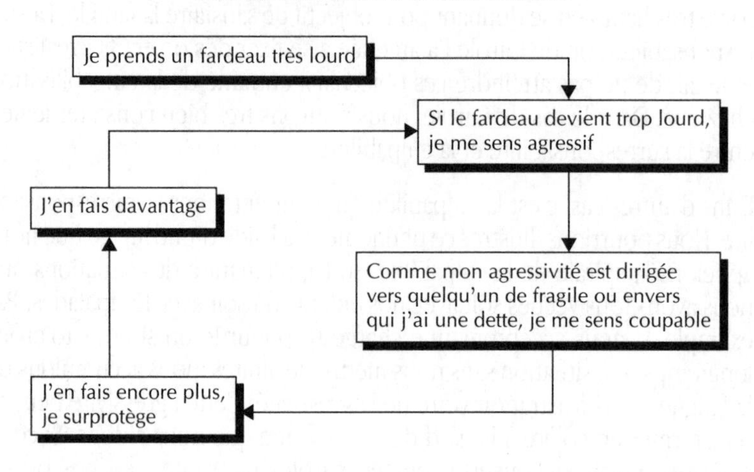

2. La culpabilité, un mal nécessaire ?

Au cours de formations que nous avons dispensées, certaines infirmières nous ont dit que la culpabilité était un mal nécessaire. D'autres ont prétendu qu'il était dangereux de tenter d'enlever la culpabilité aux gens. Il est vrai que nous devons avoir certains mécanismes de régulation des comportements. La culpabilité est vieille comme la Terre, elle a pour fonction de « nous faire rentrer dans les rangs ».

La culpabilité s'installe lorsque nous croyons avoir mal agi en certaines circonstances ou face à certaines personnes. La culpabilité est souvent au centre des relations parents-enfants. Combien de fois avons-nous entendu des parents dire : « Tu vas me rendre malade. Après tout ce que j'ai fait pour toi » ? De telles phrases ont pour effet de culpabiliser les enfants et elles encouragent des comportements de rachat et de surprotection. Lorsque nous éprouvons de la culpabilité, nous avons souvent tendance à vouloir enrayer ce sentiment en en faisant encore plus, phénomène que nous avons qualifié de spirale de la culpabilité. Si nous nous culpabilisons d'avoir été impatients avec un enfant, nous aurons plutôt tendance après coup à le gâter ou à répondre positivement à toutes ses demandes. Nous redoublons alors de prévenance, d'attention et notre motivation va plutôt dans le sens d'effacer une éventuelle erreur plutôt que de bâtir une relation à partir de sentiments d'amour et d'intérêt pour l'autre. La culpabilité permet, dans bien des cas, d'éviter des conflits personnels ou interpersonnels. Elle peut servir de prétexte pour éviter des situations difficiles à gérer. « J'agis ainsi pour éviter de me sentir coupable. » Il s'agit souvent là d'un mécanisme d'évitement de tension mis en place et régi par la culpabilité. Écoutons ce que nous dit Lucie :

« J'ai réalisé que ma propension à me culpabiliser cachait ce qui pour moi devait se révéler une dure réalité : j'étais moi aussi égocentrique. Je voulais exister pour moi-même mais je n'en avais jamais eu l'occasion. J'étais jalouse de ma plus jeune sœur, qui, je croyais, avait eu la plus belle part du gâteau dans la famille. Je ruminais sans cesse le passé et je disais m'être fait voler mon enfance.

De plus, croyant échapper à l'emprise de ma famille, je me suis mariée jeune et j'ai eu plusieurs enfants coup sur coup. J'avais changé de lieu de vie, mais j'étais toujours enchaînée aux autres et mon rôle d'aînée me pesait encore. Après la naissance de mon premier enfant, au moment de quitter la clinique, quand l'infirmière m'a tendu mon bébé, j'ai ressenti comme le poids d'un boulet de canon accroché à mes pieds. J'avais la triste impression de me sentir abandonnée. Cette sensation semblait en décalage avec la joie que j'aurais dû éprouver d'être mère. Sur le moment, je ne m'y attardai pas. Trop occupée à la maison entre les couches et les biberons, je ne pensais à rien, je ne faisais que reproduire les gestes que j'avais appris comme grande sœur. Ma maison était tenue comme un "sou neuf". J'avais hâte de retourner auprès des malades. Je m'engageais à fond dans mes travaux de mère de famille, d'aînée, de soutien auprès de mes parents âgés et d'infirmière. Pourtant, sans vraiment m'en rendre compte, ce don de ma personne ne me convenait pas. Je continuais à me plonger dans mon travail, inconsciemment, comme pour refouler la réalité et mon égocentrisme latent. Je me voulais altruiste, serviable, avenante, bonne, dévouée, et je faisais tout pour le rester. Le réveil n'en fut que plus brutal. J'en pris conscience au cours d'une dispute avec une de mes sœurs. Profondément touchée par une indélicatesse de sa part, j'en profitai pour vider mon sac. C'est elle qui m'avait le plus demandé et c'est envers elle que je m'étais le

plus surresponsabilisée ! Cette crise devait définitivement m'ouvrir les yeux !
J'avais trop donné durant toutes ces années. Mon travail d'infirmière avait beaucoup interféré dans cette prise de conscience tardive. J'adorais mon métier. Jamais je n'aurais soupçonné qu'il n'était que la continuité d'un conditionnement et qu'il avait pu être pour moi une source de souffrance. En fait, ma manière d'exercer ma profession dans l'altruisme le plus complet faisait en sorte que je continuais de m'enfoncer en m'éloignant toujours de moi. J'ignorais mes besoins de retour. La vie me pesait et je me sentais toujours coupable.
Conditionnée très tôt, dans ma petite enfance, à travers mon éducation et les diverses règles d'ordre moral qui s'y rattachent, j'avais fini par enregistrer malgré moi que donner sans compter était le prix à payer pour être acceptée, reconnue et avoir droit ainsi à une petite place sur cette Terre. Aujourd'hui j'ai réalisé et compris mon comportement d'autrefois. Je veux maintenant m'occuper de moi, mais je ne sais pas comment faire. Je suis gauche et maladroite. Quand mes proches veulent me faire plaisir, il m'arrive encore de leur dire que je n'ai besoin de rien. Je joue encore à celle qui peut se passer de reconnaissance et d'attention. Pourtant, cela est irréaliste. Je le sais. Je dois être vigilante parce que mes vieux fantômes n'ont pas complètement disparu. »

Selon Muchielli, au plan émotionnel l'individu qui vit un complexe de culpabilité vit une peur exagérée de l'erreur et de l'échec, ce qui était le cas de Lucie. Aussi, pour éviter l'humiliation de la faute commise, elle développe un sens excessif du devoir, d'où découle entre autres le lien unissant culpabilité et surresponsabilité. C'est une perfectionniste qui ne calcule pas ses efforts et qui travaille sans relâche ; elle ne s'accorde ni repos, ni détente, ni plaisir. Pour éviter la faille qu'elle redoute, elle passe son temps à planifier et à prévoir. Elle est asservie au regard des autres, qu'elle perçoit comme des juges. Mais, à cause des exigences énormes qu'elle s'impose, elle peut devenir à son tour un juge par rapport aux autres qui ne font pas preuve de son zèle, de son abnégation surtout ou de sa persévérance.

Lucie réalise aujourd'hui que toute une partie de son énergie était consacrée à contrer un désir d'égocentrisme. Elle voulait vivre pour elle-même, mais ce désir suscitait un fort sentiment de culpabilité et, pour fuir cette culpabilité, elle se surinvestissait. Mais, en même temps, en contraignant ses besoins, elle accumulait beaucoup d'agressivité envers sa jeune sœur qui, elle, vivait en fonction de ses désirs et de ses besoins.

La croyance que Lucie entretenait à propos du fait que cela était mal de vouloir s'occuper avant tout d'elle-même l'empêchait également de s'arrêter pour réfléchir à la situation. Elle vivait un conflit vis-à-vis de deux valeurs importantes : le respect de soi et l'abnégation. Par sentiment de culpabilité, nous nous conformons à toutes ces valeurs et aux exigences que nous croyons devoir remplir. Ceci nous conduit souvent à adopter des comportements d'abnégation qui ne nous permettent pas d'obtenir les retours nécessaires au renouvellement de nos énergies. Comme Lucie, nous nous dépensons sans compter pour les autres, mais malgré cela nous nous sentons toujours coupables. Et à long terme, lorsque nos efforts sont sans effets et sans retour, c'est souvent la révolte qui nous guette et le désir de tout jeter par-dessus bord. Écoutons Marie à ce sujet :

> «**J**'étais entourée de moineaux la bouche ouverte, je n'en pouvais plus et j'ai cessé de nourrir tout ce beau monde. Un matin, je me suis levée et j'ai décidé que c'était fini. Il n'y avait pas de retour possible. J'étais allée trop loin. Et pourquoi ? Je me le demande encore ! Peut-être pour entretenir une image de moi ? Quel gaspillage, quel gâchis !»

En voulant tout jeter par-dessus bord, Marie voulait aussi faire table rase de toutes ses valeurs car celles-ci lui semblaient inconciliables. Elle n'arrivait plus à ordonner ses valeurs selon ses besoins. Marie avait en quelque sorte développé une échelle de valeurs horizontale où toutes ses valeurs étaient sur le même pied (famille, travail, santé, efficacité, liberté, etc.) alors qu'elle aurait dû adopter une échelle verticale où ses valeurs seraient ordonnées selon certaines priorités en fonction de ses étapes de vie. Une échelle de valeurs mieux pondérée lui aurait permis de faire des choix plus clairs et sans culpabilisation.

Mais si nous voulons penser en termes de prévention de l'épuisement, nous devons positionner la santé en tête de notre échelle de valeurs.

Exercice

Les valeurs

Retournez à la page 41 et prenez connaissance des valeurs qui y sont mentionnées. Vous pouvez en rajouter autant que vous le voulez. Pour l'instant ne faites rien d'autre qu'énumérer toutes les valeurs que vous connaissez.

Maintenant faites le portrait de votre vie actuelle en choisissant dix valeurs qui sont particulièrement importantes pour vous. Placez-les dans un ordre décroissant d'importance.

Que pensez-vous des valeurs que vous avez choisies ? Notez vos réponses, spontanément et sans jugement.
Cet exercice sur les valeurs peut-il vous éclairer sur vos motifs ?
Êtes-vous davantage dans des motivations d'ordre affectif et relationnel ou moral et philosophique ?
Agissez-vous dans votre vie personnelle et professionnelle pour respecter une valeur ou pour éviter un mal-être ?

Note : cet exercice a pour objectif de vous aider à cerner l'ampleur et la nécessité d'une réflexion et d'un travail sur la motivation. Il offre une autre porte d'entrée pouvant améliorer la connaissance de soi et la prise de pouvoir sur la vie.

B. La responsabilité

1. Remplacer la culpabilité par la responsabilité

Le fait d'endosser toute la responsabilité dans une situation, qu'il s'agisse d'un malaise ou d'une souffrance physique ou morale est un manque d'honnêteté et de respect envers nous-même. Ce comportement bloque le jugement et entraîne des pensées récurrentes qui se font insistantes. La personne qui se culpabilise pour tout et pour rien aura tendance à ruminer les mêmes phrases : « Si j'avais fait ceci ou cela, si j'étais allée plus tôt, j'aurais dû dire telle chose, si je n'avais pas fait cela... » La culpabilité entrave la recherche de données pertinentes à l'analyse et finalement tout repose sur les épaules et sur la conscience d'une seule et même personne. Dans ce cas de figure, tout porte sur le JE.

À partir de notre expérience clinique, nous pensons que la culpabilité dénote une « immaturité affective » qui cache un désir de toute-puissance. Cette idée peut sembler à première vue étonnante. En effet, nous avons plutôt tendance à voir la personne qui se culpabilise comme une personne humble puisqu'elle reconnaît ses erreurs. Mais en fait son regard sur la situation est très égocentrique puisqu'elle ne voit que sa propre responsabilité dans la situation.

La culpabilité est un mécanisme qui s'est mis en place sur une longue période de temps à travers notre histoire personnelle. Elle est devenue en quelque sorte un mécanisme réflexe chez plusieurs d'entre nous. Et, par définition, le réflexe se produit en dehors de notre volonté. Ainsi, pour se défaire de la culpabilité nous devrons d'abord prendre conscience du fait que nous culpabilisons et travailler à nous conditionner différemment par rapport à celle-ci.

En portant un autre regard sur la culpabilité, nous effectuons un recadrage qui nous permet d'entrer dans une autre dimension de réflexion et d'agir par rapport à celle-ci. En fait, le mot « culpabilité », s'il était décomposé en deux parties – culp-abilité – signifierait l'« habileté à battre sa coulpe » ou, en d'autres termes, l'attitude du pénitent à genoux qui se repent. Il s'agit d'une attitude passive et en quelque sorte d'une attitude de victime.

Le recadrage peut se faire en remplaçant le mot « culpabilité » par celui de « responsabilité ». Nous ne sommes plus responsables de la cause du problème, mais de la recherche de solutions. En ce sens, le mot « responsabilité » contient en lui-même deux termes soit : respons-abilité ou l'habileté à trouver des réponses. Utilisé de cette façon, le terme « responsabilité » devient donc un terme plus actif qui nous aide à reprendre du pouvoir sur la situation et surtout sur notre vie.

a. Adopter une nouvelle grille de lecture de la réalité

La deuxième façon de faire un recadrage par rapport à la culpabilité c'est de prendre une distance critique par rapport à la situation culpabilisante. Pour ce faire, nous allons proposer maintenant une grille d'analyse servant de guide dans toutes les situations dans lesquelles nous serons appelées à évoluer. Nous l'avons appelée la grille du JE, TU et CONTEXTE. Nous pouvons considérer cette grille comme un outil de travail fort important dans cette démarche puisqu'elle va nous permettre une analyse plus saine et plus adulte de notre responsabilité nous amenant à prendre conscience et pour ainsi dire à visualiser que nous ne pouvons être entièrement responsables d'un événement malheureux, d'un conflit ou d'un échec par exemple.

Avant de vous culpabiliser et/ou de vous surresponsabiliser, vous aurez avantage à vous demander quelle est votre part de responsabilité dans la situation (le JE). Puis vous verrez également à évaluer la part de l'autre ou des autres (le TU), de même que vous tiendrez compte des circonstances dans lesquelles s'est produite la situation ou le comportement (le CONTEXTE). Brigitte nous a raconté l'histoire suivante au sujet de la culpabilité :

« **D**eux de mes amis, le mari et la femme, se sont retrouvés dans une situation dramatique. Je les ai aidés. J'ai investi beaucoup de temps et d'énergie auprès d'eux. Le mari était maniaco-dépressif. Amenée à juger son état dangereux, j'ai contribué à son admission en milieu hospitalier. Son épouse par la suite m'a reproché ma démarche. Je me suis sentie terriblement malheureuse et coupable. J'étais déçue de constater à quel point mes efforts n'avaient pas été pris en considération. Vexée, j'ai immédiatement pris mes distances vis-à-vis du couple. Je suis restée sans nouvelles pendant quelque temps. Jusqu'à dernièrement où j'ai eu un message sur mon répondeur. Le mari me demandait de le rappeler. Il était tard, je venais de rentrer à la maison, fatiguée, si bien que je décidai de remettre ce coup de téléphone au lendemain. J'ai appris son suicide au petit matin. Je me suis sentie coupable de ne pas l'avoir rappelé le soir même. »

Brigitte a-t-elle eu raison de se culpabiliser? Si elle avait connu la grille d'analyse JE, TU, CONTEXTE, elle aurait peut-être pu mettre une certaine distance entre ses émotions et l'événement car elle n'était pas seule en cause. Cet ami avait une famille, un passé et il était malade.

b. Changer notre perception de la culpabilité

Nous pouvons exercer une influence directe sur la culpabilité. Pour combattre la culpabilité, la première chose à faire est de changer la construction même de la phrase que nous utilisons pour en parler. Remplaçons la phrase « je me sens coupable » (culpabilité-émotion) par « je me culpabilise » (comportement de culpabilité). Ce changement de terme a pour objectif de nous faire prendre conscience de notre pouvoir dans le processus de culpabilisation. Nous pouvons en effet contribuer à créer différents états émotionnels par les phrases que nous disons et les images que nous entretenons intérieurement.

Exercice

Comment les autres nous culpabilisent

Repensez à trois situations dans votre vie personnelle ou professionnelle où quelqu'un vous a culpabilisée.

Quelles phrases ont eu le plus d'impact sur vous ?
Quelles étaient les circonstances fragilisantes (contexte) ?
Quelles sont les situations qui vous touchent le plus ?
Quelles sont les attitudes non verbales susceptibles de vous culpabiliser ?
Quels avantages peuvent retirer ces personnes en vous culpabilisant ?
Quelles conclusions en retirez-vous sur vos points de vulnérabilité ?

Note : cet exercice vous sera utile pour repérer vos zones de vulnérabilité tout en vous faisant prendre conscience de l'importance de reprendre du pouvoir dans votre vie.

Exercice

Comment nous nous culpabilisons

Trouvez trois situations où vous vous êtes déjà culpabilisée dans votre travail d'infirmière ou dans votre vie privée. Décrivez-les de façon détaillée.

Reprenez chacune des trois situations que vous venez de décrire et pour chacune d'elles répondez aux trois questions suivantes :

– que vous êtes-vous dit ? ;
– qu'avez-vous vu ? ;
– qu'avez-vous senti (prenez des points de repère physiques) ?

Que concluez-vous en rapport avec votre façon de vous culpabiliser ?

Note : en réalisant cet exercice, vous serez confrontée à votre propre manière de vous culpabiliser ce qui éventuellement peut vous permettre d'avoir prise sur ce mécanisme.

2. Analyse d'une situation de culpabilisation

La personnalité de Sophie, infirmière aux urgences d'un grand hôpital, illustre très bien à la fois la culpabilité, le sentiment d'impuissance qui l'habite et la souffrance morale qui découle de cette culpabilité.

« Je n'aime pas ressentir ce sentiment de culpabilité. Parfois, à mon travail, j'ai l'impression de ne pas être capable de répondre aux besoins psychologiques des patients soit par manque de temps ou par peur de ne pas trouver les bonnes paroles à dire dans une relation d'aide. Par exemple, je me sens impuissante face à un suicidaire qui se présente à répétition aux urgences. Je me culpabilise et j'ai toujours peur que le lien de confiance ne soit pas établi. Je me dis : "Ah non pas encore lui ! Je vais parler inutilement, ça ne sert à rien." Je l'imagine revenir encore aux urgences dans deux jours. Je suis en colère contre lui et je suis furieuse aussi contre moi. Je me sens coupable et j'ai peur de ne pas intervenir de la bonne façon. Pourtant, je sais que je dois laisser tomber mes préjugés mais je n'y arrive pas et je me culpabilise encore. »

Sophie se culpabilise surtout de deux façons. Premièrement, sa culpabilité réside dans son sentiment de toute-puissance. Elle attribue au JE tout le pouvoir sur la situation lorsqu'elle « veut intervenir de la bonne façon, trouver les bonnes paroles » comme si la bonne parole allait résoudre le problème. Lorsqu'elle pense « je vais parler inutilement » c'est qu'elle juge que sa parole pourrait changer la situation. Sophie veut faire quelque chose. Elle est pleine de bonne volonté mais elle se situe dans le faire et dans l'efficacité et cette position est très difficile avec des patients comme celui-ci !

Si Sophie tenait compte du TU, elle prendrait conscience que le malade et sa famille peuvent avoir une part de responsabilité dans la recherche de solution. Elle se serait vite rendu compte que son action s'avérerait inefficace tant que le patient ne se déciderait pas lui-même à changer.

De plus, si Sophie considérait le CONTEXTE dans lequel elle travaille, elle réaliserait que les services d'urgence ne sont pas toujours conçus pour répondre aux besoins de ce type de malade, qu'elle n'a pas le support de spécialistes ou qu'il y a un grave manque de ressources psychiatriques dans le secteur. Elle n'est pas seule à devoir prendre sa part de responsabilité dans la recherche de solutions.

Sophie n'a pas de pouvoir sur la vie de l'autre, sur son équilibre ou son bonheur. Elle ne peut aider l'autre malgré lui ni changer sa vie ou son histoire personnelle. Elle n'a pas de pouvoir sur l'autre mais elle a du pouvoir sur elle-même. Si elle désire protéger ses énergies, elle devra changer ses attentes par rapport aux malades et par rapport à elle-même. Elle devra parfois passer d'une attitude axée sur le faire et l'efficacité à une attitude orientée sur l'être. En adoptant cette attitude, Sophie sera simplement présente à l'autre et lui offrira une écoute active et empathique.

Le second procédé utilisé par Sophie pour se culpabiliser puise sa source directement dans son imagination. Sophie a l'impression de ne pas être capable de répondre aux besoins d'autrui. Est-ce la réalité ? Et sur quoi se base-t-elle pour porter ce jugement ? Peut-être sont-ce les fréquents retours du patient aux urgences qui remettent à chaque fois en question son incapacité à dominer la situation ? Quand elle dit : « Je l'imagine revenir encore aux urgences », elle ne fait qu'anticiper une situation qui n'est pas réelle puisqu'elle n'a pas eu lieu. Mais l'émotion ressentie est en revanche bien réelle ; elle se prépare mentalement à affronter l'hypothétique retour du patient aux urgences et envisage à l'avance les réactions supposées de ce dernier ainsi que les siennes : « tout ce que je vais pouvoir lui dire ne servira de toute façon à rien ». Alors très vite elle se sent envahie par un sentiment de colère et de grande culpabilité. Sophie a finalement beaucoup plus de pouvoir sur sa culpabilité qu'elle ne l'imagine. Elle est tout à fait capable de prendre des distances critiques sur la situation. Elle peut contrôler son imagination, modifier ses propos, changer les objectifs de son intervention.

3. La culpabilité et les motivations d'investissement en relation d'aide

Une partie de la culpabilité du soignant vient de ce qu'il n'accepte pas certaines de ses motivations à aider et à soigner. Nous avons tous beaucoup de difficultés à accepter notre besoin d'être en évidence, notre besoin de reconnaissance, et notre besoin d'attention. Nous avons besoin de savoir que nous existons et nous nous dévouons envers les autres afin de donner un sens à notre vie. Le soignant ne fait pas exception à cette règle, au contraire. Nous éprouvons parfois une certaine gêne à reconnaître ce genre de motifs. Les motifs d'ordre financier nous causent également du souci.

Tous ces motifs peuvent être valables, mais il est préférable de rechercher un équilibre entre plusieurs types de motifs. Prendre conscience que nous pouvons être animés par des motivations multiples et variées peut nous permettre, si nos attentes sont déçues dans un domaine, de nous rattraper sur d'autres plans pour puiser l'énergie qui nous est nécessaire. Par exemple, si nous avons uniquement des motifs humanitaires en nous impliquant dans un nouveau poste, nous risquons d'être déçues et en perte d'énergie si ce milieu de travail ne répond pas à nos attentes. Si nous avons aussi des motifs d'ordre relationnel tel que travailler en équipe et se faire des amis, nous pourrons peut-être trouver dans ce même milieu un retour suffisant et gratifiant par rapport à nos motifs d'ordre relationnel. Un même milieu de travail pouvant être épuisant pour une personne pourrait être acceptable pour une autre à cause de l'adéquation des investissements et des retours énergétiques. Mais si nos motifs sont variés, nous sommes plus à même d'obtenir des retours car nous n'avons pas mis tous nos œufs dans le même panier. Regardons donc tous nos motifs sans culpabilité, y compris ceux d'ordre matériel tels le salaire, le statut, les bénéfices marginaux ou même... l'uniforme.

Rappelez-vous que la culpabilité déstabilise l'individu qui la vit. Cette dernière laisse peu de place au repos, au plaisir, à la joie. La spontanéité, le respect de ses limites, de ses désirs et de ses besoins s'en trouve aussi grandement affecté. Le travail sur la culpabilité s'avère essentiel. Il est un préalable à la reconnaissance et au respect des besoins.

C. Résumé du chapitre

La culpabilité est une autopunition que l'on s'inflige lorsque nous croyons avoir dérogé à des normes, des valeurs ou des exigences que nous nous imposons ou qui nous sont imposées par les autres.

La culpabilité est un sentiment révélant une opinion avantageuse que l'on a de soi-même car on s'approprie ainsi toute la responsabilité d'une action sans la partager avec d'autres. C'est un défaut de prétention.

Lorsqu'au regard des autres nous nous approprions toute la responsabilité dans la recherche de solutions, nous pouvons facilement devenir surresponsables.

La surresponsabilité prend souvent racine dans nos besoins de valorisation et de gratification.

La surresponsabilité et la culpabilité sont deux comportements intimement liés. Nous pouvons être surresponsables parce que nous nous sentons coupables. Mais nous pouvons aussi nous sentir coupables parce que nous nous sommes surresponsabilisées et que nous n'arrivons plus à rencontrer nos propres exigences.

La culpabilité nous garde dans la passivité et l'impuissance. Elle peut être remplacée par la responsabilité, c'est-à-dire l'habileté à trouver des réponses aux problèmes. Ce recadrage nous permet d'augmenter notre sentiment de pouvoir sur notre vie.

En nous interrogeant sur la culpabilité, il est possible de découvrir certains de nos motifs d'action et de mieux comprendre le sens de notre motivation.

REPÈRES THÉORIQUES

LE RECADRAGE

Un axiome de base de la communication est qu'un signal n'a de sens qu'en fonction du cadre ou du contexte dans lequel il se situe. Le sens que nous accordons à un événement dépend essentiellement du cadre dans lequel nous le percevons. Lorsque nous changeons le cadre, nous changeons le sens. Ce principe est utilisé en programmation neurolinguistique (PNL), pour changer la réponse interne d'une personne devant un comportement ou une situation, en modifiant le sens que cette dernière lui accorde. Comment s'opère un recadrage ? On propose à la personne d'envisager la situation sous un autre angle, ou de prendre d'autres facteurs en considération pour changer le sens de l'expérience qu'elle est en train de vivre de manière négative. Ainsi, il y a quelques années, chaque fois que ma belle-mère m'invitait à déjeuner à sa table, elle m'annonçait ostensiblement le coût des denrées qu'elle me servait au repas ! Cela avait pour effet de m'agacer au plus haut point, et de plus je terminais le repas en me sentant coupable d'avoir coûté cher. Ce qui est une manière particulièrement efficace de gâcher les relations familiales et les plaisirs de la table ! Le travail de recadrage consista à accepter de rentrer dans le modèle du monde de ma bellemère, et de découvrir que, de son point de vue, ce qui est de qualité est cher. Du coup, cela transforma la signification que j'accordais à son comportement. Elle n'était plus en train de me reprocher combien je lui coûtais cher, mais au contraire combien je lui étais chère puisqu'elle prenait particulièrement soin de m'offrir des denrées de grande qualité ! Cela me permit aussi de repérer tous les signes qu'elle m'envoyait pour me signifier que j'étais importante pour elle. Ce recadrage fut suffisamment puissant pour que mes papilles gustatives se laissent à nouveau stimuler agréablement par le foie gras et autres petites gâteries. Notons cependant au passage que ce recadrage-là n'est absolument d'aucune efficacité pour résoudre les problèmes de surcharge pondérale !

D. Références utiles

Bernier (D.), *La Crise du burn-out*, Stanké, Montréal, 1994.
Collière (M.-F.), *Promouvoir la vie*, Interéditions, Paris, 1982.
Duboysfresney (C.) et Perrin (G.), *Le Métier d'infirmière en France*, « Que sais-je ? », Paris, 1996.
Freudenberger (H.-J.), *Le Burn-out chez la femme*, Transmonde, Montréal, 1987, 358 p.
Garraud (C.), *La Bioénergie. Du risque de vivre au plaisir d'exister*, ESF, Paris, 1985.
Laguë (M.), *Où est passée mon énergie ?*, Éditions de Varenne, Varenne, 1991, 156 p.
Lowen (A.), *La Bioénergie*, Le Jour, rééd. Tchou, *s.l.*, 1975.
Mordacq (C.), *Pourquoi des infirmières ?*, Le Centurion, Paris, 1972.
Pines (A.-M.), Aronson (E.) et Kafry (D.), *Le Burn-out*, Le Jour, Montréal, 1990.
Terrasse (C.), *Les Vieux Hôpitaux français*, Ciba, Lyon, 1945.

Chapitre 4

LES BESOINS

A. Les besoins et les droits

« Ma psychothérapeute ne cessait de me dire de prendre soin de moi et de répondre à mes besoins, nous dit Anne Lise. Je voulais bien, mais je ne savais pas comment faire, même si j'avais tout lu au sujet des besoins.

Dès que je voulais réfléchir aux besoins, aux miens en particulier, cela développait chez moi chaque fois une telle anxiété que je préférais "clore le dossier". En fait je pense que je me sentais extrêmement coupable vis-à-vis de mes besoins. Je m'étais si souvent fait dire qu'il ne fallait pas être égoïste, qu'il ne "fallait pas uniquement penser à soi", que cette idée avait fait lentement mais insidieusement son chemin dans ma tête. Ainsi, j'avais fini par oublier que j'existais. Je mangeais, je dormais, je me reposais, j'avais quelques loisirs mais j'étais mal dans ma peau et je tournais en rond dans ma vie.

En répondant à mes besoins, se pouvait-il que je trouve réponse à mes maux ? C'est du moins ce que j'entendais lorsque ma thérapeute m'enjoignait d'y répondre. Mais dans ce domaine je me sentais dépossédée, incompétente, nulle et j'aurais préféré ne plus jamais en parler. Des besoins j'en avais sûrement, mais dans la vie quotidienne je ne pouvais les identifier.

J'ai cessé de lire, puis je n'ai plus jamais assisté à des conférences où il pouvait être question des besoins. J'ai également pris la décision d'arrêter ma thérapie mais je ne savais pas trop comment l'annoncer à ma thérapeute. Je lui dis simplement que je ne continuerais plus ces séances de peur de réveiller "le chat qui sommeille" en moi. Cette expression quelque peu fantaisiste me convenait très bien pour détendre l'atmosphère. Je l'avais entendue auparavant de la bouche d'un collègue de mon mari qui, à l'époque, refusait de participer aux sessions de croissance personnelle offertes par son entreprise.

Ma thérapeute interpréta ces propos comme une fuite de ma part. Ma thérapie semblait loin d'être finie. Je ne cherchai pas vraiment à comprendre ce qu'elle voulait me dire. Je me sentais lâche et en dessous de tout. Dans l'incapacité d'approfondir le sujet, je me déclarai définitivement stupide et décidai d'arrêter ces entrevues. Finalement cette décision fut positive ; je ne me sentais pas plus malheureuse et mon entourage familial semblait assez fier et satisfait de ma prise de position. "C'est mieux ainsi, dit mon mari, je te retrouve enfin, tout cela finissait par te monter à la tête." Il conclut en me serrant dans ses bras. J'étais de nouveau entrée dans le rang.

Paresseuse, lymphatique, "traîne-la-patte", lente, sans courage, un soliloque qui me tenait désormais compagnie. Je me sentais capricieuse, jamais contente, sans grand enthousiasme mais il me semblait que cela ne paraissait pas trop aux yeux des autres. J'exerçais ma profession d'infirmière, jour après jour, du mieux que je le pouvais et ce n'était pas moi qui faisais le plus de vagues. Je n'avais aucun besoin particulier et je faisais mon devoir tant au travail qu'à la maison.

De temps à autre j'éprouvais certaines frustrations que je tentais d'éloigner en me raisonnant. J'excusais tout le monde autour de moi. Je m'étais oubliée et les autres m'oubliaient aussi. Par exemple, mes frères et sœurs négligeaient de souligner mon anniversaire mais ils s'excusaient en me disant que le 6 janvier, immédiatement après les fêtes du Nouvel An, n'était pas commode. Des raisons que j'acceptais mais non sans un pincement au cœur. Mais je ne m'arrêtai pas à cela.

Pourtant, pour être franche, j'aurais bien aimé recevoir un petit appel téléphonique surtout que je n'oubliais personne. Je prenais soin de choisir une belle carte, d'écrire de jolis mots et je calculais soigneusement le temps que la Poste mettait pour livrer le courrier. Je m'organisais pour que la personne reçoive sa carte la journée même de son anniversaire. Je tenais à faire cela pour chacune de mes amies et chacun des membres de ma famille. Quel travail finalement !

Je pleurais souvent en cachette, et parfois je me surprenais à penser que je pourrais mourir et que cela ne dérangerait personne.

Je ne me serais jamais enlevé la vie, mais je pensais que ceux qui mouraient étaient chanceux. Je sais que je vais paraître monstrueuse mais je me serais vue à la place de certains de mes patients qui doucement s'endormaient pour ne plus jamais se réveiller. Je faisais donc mon bilan sur un fond dépressif.

Un jour, je me suis vue dans une glace et cela m'a fait un choc. Je me suis rendu compte d'ailleurs qu'il y avait bien longtemps que je ne m'étais pas véritablement regardée. J'étais maigre, et je faisais pitié à voir. Si j'avais été une autre, je me serais prise dans les bras. Une bouffée de chaleur m'envahit et soudain j'ai compris que j'avais un immense besoin de tendresse. Je me suis mise à pleurer. La chaleur de mes larmes me surprenait ! Mon corps criait son besoin d'être touché et j'ai eu envie de crier : "Regardez-moi ! Entendez-moi ! Reconnaissez-moi ! Ne me laissez pas seule ! Occupez-vous de moi ! Appuyez-moi dans mes démarches ! Je suis là, j'existe !" Quel était donc le moteur qui me poussait ainsi à me dépenser sans compter ?

Je fus surprise et l'état de choc dura quelques minutes qui me parurent une éternité. J'avais hâte de quitter le travail et d'aller marcher. Comme un automate je me suis alors rendue au bureau de mon directeur. Je lui ai dit tout de go que je n'en pouvais plus, que je ne savais pas ce qui m'arrivait mais que je devais partir. Je parlais vite et j'étais essoufflée. Il m'a invitée à m'asseoir et il a respecté le silence dans lequel j'étais soudain plongée... Tout s'est joué dans ces quelques minutes je crois et je réalise que j'ai eu beaucoup de chance. Il ne m'a rien dit, il n'a pas posé de questions. Il a pris une feuille de papier et il s'est mis à écrire. Puis, il m'a tendu la feuille et m'a simplement demandé d'aller voir le médecin du travail. Je suis sortie de son bureau après qu'il m'eut serré la main en me disant : "Prenez soin de vous et revenez-nous en forme. Nous apprécions votre travail". Je l'ai regardé, j'avais les larmes aux yeux mais j'ai voulu le rassurer de mon sourire et d'un vague hochement de tête. Ma visite chez le médecin n'a duré que quelques minutes. Je suis ressortie avec un congé de deux semaines. Je suis allée prendre mes affaires et j'ai filé en douce. Mon directeur m'avait dit qu'il s'occupait de tout.

J'ai longuement marché, puis je suis allée m'asseoir dans une église alors que je n'y mets jamais les pieds. J'ai admiré la lumière qui filtrait à travers les vitraux et j'ai écouté le bruit sourd des pas pieux sur le pavé usé. Ce silence me faisait du bien. Je suis sortie de l'église et je me suis arrêtée dans un café. J'ai commandé une tarte Tatin qui me faisait envie, et j'ai flâné avant de rentrer à la maison.

Le lendemain, je me suis préparée comme d'habitude, comme si j'allais travailler. Je ne me sentais pas le courage d'affronter le feu de la rampe et j'ai voulu éviter les questions, toutes les questions que les uns et les autres auraient voulu me poser. Je suis sortie de la maison avec les enfants qui partaient pour l'école. Je les ai embrassés chaleureusement en les regardant dans les yeux. Puis j'ai flâné dans les rues de Paris, ce Paris des touristes mais que je ne vois jamais. Je m'amusais à m'imaginer être une étrangère.

Après quelques heures de promenade j'eus une profonde envie de dormir. Une idée me trottait depuis longtemps déjà dans la tête. Une idée coquine qui me donnait envie de rire. J'aurais souhaité arrêter un passant et lui dire comment je me sentais légère. Il m'aurait prise pour une folle. Je m'en suis donc abstenue, mais suis toutefois entrée dans ce joli petit hôtel que j'avais tant de fois réservé pour des amis de passage. J'ai loué une chambre, et ai dormi d'un trait jusqu'à 15 heures.

Après cette sieste, je suis allée lire le long de la Seine et je me suis arrêtée à la *Samaritaine* pour fouiner au rayon des lainages. Je me suis offert un pull, celui qui me faisait envie depuis quelques mois, mais qui me semblait un pur caprice. Je suis rentrée à la maison avec mon secret. J'ai préparé le dîner et pour la première fois depuis plusieurs années je n'ai pas demandé aux enfants s'ils avaient fait leurs devoirs. Après le repas, j'ai débarrassé la table et ai laissé la vaisselle dans l'évier. Je me suis fait une tisane et j'ai allumé la télévision, avant que les enfants ne le fassent. J'avais envie de regarder une émission dont j'avais entendu parler. Comme je riais fort, les enfants sont venus chacun leur tour voir ce qui se passait. Ils se sont contentés de me regarder d'un air inquisiteur mais personne ne m'a rien demandé.

Après mon émission, je suis montée à l'étage pour me faire couler un bain que j'ai parfumé aux algues. J'ai mis de la musique et je me suis prélassée sans me préoccuper de rien. J'ai fouillé dans mon placard pour en ressortir ce beau vêtement de nuit que je gardais pour les grandes occasions. Mais qu'est-ce qu'une grande occasion ? J'aurais pu poser cette question à ma mère qui avait tant de manies. Elle qui prenait tant soin de ses vêtements et qui nous contraignait à l'imiter. Mais ce temps-là était révolu. J'allais enfin porter ce qui me plaît quand ça me plaît. Finies les petites économies !

J'ai enfilé ma belle chemise de nuit, je me suis parfumée et suis allée rejoindre mon mari qui lisait son journal dans le salon. Il m'a simplement adressé un petit coup d'œil furtif par-dessus ses lunettes, puis s'est replongé dans sa lecture. Je me suis assise à ses pieds sur la moquette et sans rien dire j'ai attendu qu'il me parle.

Après quelques instants, il a posé les yeux sur moi et m'a dit que je sentais bon. Je lui ai demandé s'il voulait me masser le cou. Il m'a regardée ébahi, a mis son journal de côté, a enlevé ses lunettes, puis s'est exécuté. Il m'a touché lentement et sensuellement mais je n'ai pas voulu faire l'amour. Sans parler, nous sommes entrés dans un silence de complicité. Après quinze ans de mariage, c'était comme si je le voyais pour la première fois.

Je me surprenais et m'étonnais moi-même. Il me semblait être en train de renouer avec une connaissance, une amie d'enfance que j'aurais perdue de vue. J'avais en tête les paroles de la chanson de Barbara, "Elle fut longue la route/Je l'ai faite la route/Celle-là qui menait jusqu'à vous". J'avais envie de rajouter : "Celle-là qui menait jusqu'à moi". C'était le plus beau moment de ma vie. Je faisais la connaissance de moi-même ! Alors que jusqu'ici je l'avais appréhendée uniquement avec anxiété, la connaissance de soi venait de prendre pour moi un tout autre sens.

Le lendemain j'ai téléphoné à ma thérapeute et je lui ai demandé si elle pouvait me consacrer deux heures d'affilée. J'ignorais que ce n'était pas dans ses habitudes, mais j'insistai en lui disant que j'en avais besoin. Elle a paru tellement surprise qu'elle a accepté de me recevoir. Assise près d'elle, je lui confiai : "La pyramide de Maslow j'en ai marre !" Puis j'ai commencé à lui parler de mes besoins. Je me sentais une nouvelle compétence pour parler de moi en cette matière. »

Comme Anne-Lise, nous pouvons vivre différents conflits vis-à-vis de nos besoins. Nous pouvons refuser certains besoins, nous pouvons les négliger, les ignorer. Nous pouvons juger que nos besoins sont dérangeants. Nous pouvons avoir honte de certains besoins ou certains d'entre eux peuvent être anxiogènes pour nous.

Ainsi nous pouvons différer plus longuement la réponse à certains besoins alors que nous répondrons plus rapidement à certains d'entre eux. Le réflexe de toujours différer la réponse aux besoins peut entraîner de lourdes conséquences pour la santé. Par ailleurs le réflexe d'exiger une réponse immédiate peut également générer des difficultés personnelles ou relationnelles. En matière de réponse aux besoins nous croyons qu'il est nécessaire de nous accorder un certain temps de réflexion.

L'emploi du mot « besoin » a été largement utilisé dans nos conversations. C'est pourquoi il est difficile de reconnaître quels sont nos vrais besoins. Nous confondons de ce fait le besoin avec le souhait ou le caprice, exactement ce qu'ont fait Marie-France et Anne-Lise. Le qualificatif « vrai » accompagne souvent le mot « besoin ». Nous parlons de vrais besoins, comme s'il y avait de vrais et de faux besoins. Cette habitude introduit, croyons-nous, un biais dans notre manière de nous comporter vis-à-vis de nos besoins ou de réfléchir à ces derniers.

Comme Anne-Lise, nous avons tellement peur de ne pas être raisonnables, de « faire des caprices » que nous sortons la loupe du « vrai besoin » et nous regardons nos besoins à travers cette lunette. Anne-Lise ne se permet jamais de se promener seule en ville car elle doit s'occuper de sa maison, être présente quand les enfants sortent de l'école. Elle ne se permet pas de se relaxer après le dîner car elle ne doit pas laisser la vaisselle dans l'évier. Elle ne se permet pas de prendre la télécommande pour choisir ses émissions préférées. Ses enfants choisissent pour elle, elle les laisse faire pour leur faire plaisir. Mais quels sont donc nos critères pour définir un besoin ? Sur quoi nous basons-nous pour décréter qu'un besoin n'en est pas un ? Est-ce que certaines personnes ont davantage le droit d'avoir des besoins ?

1. Définition

Le besoin est un ingrédient essentiel au maintien de l'équilibre physique et psychique d'une personne. La hiérarchisation des besoins est différente d'un individu à l'autre et nous avons parfois du mal avec la priorité que les autres accordent à certains besoins. Les besoins sont multiples et variés, ils changent souvent avec le temps et les étapes de la vie. Il n'y a rien de figé au chapitre des besoins.

Nos besoins entrent souvent en conflit avec les besoins des autres. Il arrive parfois, et même assez souvent, que lorsque nous voulons répondre à nos besoins cela dérange les autres. Ainsi, nous avons tendance à voir nos besoins à travers le regard de l'autre. Mais parfois aussi nous regardons nos besoins à travers ce que nous croyons que l'autre attend de nous. Le mari d'Anne-Lise s'attend-il à ce que la vaisselle soit faite immédiatement après le repas ? Serait-il en désaccord avec le fait qu'elle aille parfois se promener seule en ville ? Nos déductions ou nos croyances nous font parfois faire fausse route dans la réponse à nos besoins. Si l'autre refuse nos besoins et si l'image qu'il nous renvoie à propos de ces derniers s'avère dévalorisante, avons-nous tendance à nier nos propres besoins ou encore à en reporter la réponse ?

Exercice

Les besoins

Pour vous aider à mieux les cerner, nous vous suggérons d'en dresser d'abord une liste. Faites-la la plus exhaustive possible. Notez tous les besoins qui vous viennent à l'esprit, même ceux qui vous semblent les plus simples, voire anodins. En vous référant à cette liste, posez-vous les questions suivantes :

- quels besoins acceptez-vous ?
- quels besoins refusez-vous ?
- quels besoins négligez-vous ?
- que cela vous rapporte-t-il de négliger vos besoins si tel est le cas?
- que cela vous rapporte-t-il de satisfaire vos besoins ?
- que cela vous rapporte-t-il de différer ou retarder leur satisfaction ?
- privilégiez-vous certains besoins au détriment de certains autres ? Si oui, lesquels ?
- qui doit satisfaire vos besoins ? Vous ou les autres ?
- quand les autres doivent-ils satisfaire vos besoins ? Toujours, parfois ou jamais ?
- faites le point sur la connaissance et l'acceptation que vous avez de vos besoins aujourd'hui.

Note : le travail de connaissance de soi va se poursuivre au travers de cet exercice. Les besoins sont de puissants moteurs d'action, mais s'ils sont méconnus ou décriés ils peuvent être source de conflit de valeur. Il importe donc de mieux les connaître.

Par ailleurs, malgré les obstacles qui peuvent se présenter, certaines personnes persistent à exprimer leurs besoins au risque même d'être perçues comme capricieuses. Il en est peut-être mieux ainsi pour elle ? Quoi qu'il en soit, nous pourrions nous demander ce qu'est véritablement le caprice. Est-ce un besoin qui dérange l'autre ?

Madame Durand venait d'entrer en long séjour. Elle avait vécu une vie heureuse auprès des siens mais ils étaient tous « partis avant elle » comme elle le disait. Elle était lucide malgré ses 90 ans. Madame Durand avait une petite manie, elle prenait le thé, à l'anglaise, à 17 heures précises. Sa théière, sa tasse de porcelaine et ses cuillères en argent l'avaient suivie pendant toute sa vie. Elle avait demandé si elle pourrait continuer de le faire et l'assistante sociale l'avait rassurée en lui disant que ce serait possible. Mais les choses prirent une tournure inattendue pour elle.

Depuis quelques semaines, madame Durand avait un surnom. Dans le service où elle était, le personnel la surnommait la Précieuse. Madame Durand utilisait une petite cuillère en argent pour remuer son thé. Cette petite cuillère faisait le cauchemar des aides-soignantes. Elle se perdait dans les plateaux et se retrouvait systématiquement à la cuisine de l'établissement. Madame Durand n'avait de cesse de réclamer sa petite cuillère en argent, elle s'agitait beaucoup. Cela devenait pour le personnel, un peu agacé, un véritable travail que de prendre soin de la porcelaine de madame Durand. Son surnom de Précieuse qui lui avait été attribué à son arrivée se transforma vite en celui de Capricieuse. Plus préoccupés par le manque d'effectifs dus aux récentes compressions budgétaires, les employés n'avaient que faire des caprices de cette résidente.

Dans la semaine qui avait précédé son départ, Anne-Lise s'était trouvée au cœur des débats concernant les fameux caprices de madame Durand. Elle comprenait que tout ce qui lui restait était sa petite cuillère et ses tasses de porcelaine. C'est tout ce qui la reliait au passé, mais elle avait de la difficulté à reconnaître qu'il s'agissait là pour madame Durand d'un besoin et non d'un caprice. Être relié à son passé, se souvenir, être reconnue dans ce passé, c'était essentiel au maintien de l'équilibre physique et psychique de madame Durand. Mais Anne-Lise se disait qu'elle-même se privait bien, qu'elle ne faisait pas tout ce dont elle avait envie, et que dans la vie il fallait se comporter d'une manière raisonnable. Elle tentait bien de défendre madame Durand auprès du personnel, mais intérieurement elle était tiraillée par son jugement de valeurs !

2. Critères d'évaluation

Ce qui est essentiel aux uns n'est pas forcément essentiel aux autres. Pourtant c'est le mot « essentiel » qui est central dans l'étude des besoins. Ainsi il faudra apprendre à faire confiance à notre interlocuteur et il faudra au besoin recadrer ses demandes en les considérant sous l'angle de la nécessité et en acceptant les différences individuelles. Nous savons tous que les différences individuelles sont parfois difficiles à respecter mais abstenons-nous de taxer d'emblée un besoin de caprice lorsque nous n'avons pas de réponse à ce besoin.

Que dire aussi du fait d'aller dormir à l'hôtel, dans sa ville, en plein après-midi ? Cela pourrait être un caprice ou une fantaisie pour plusieurs d'entre nous mais pour Anne-Lise il s'agissait à ce moment-là d'un besoin. Il était impérieux, pour elle, de se retrouver seule, de s'accorder du temps. En certaines circonstances évidemment, cela pourrait être de l'ordre du caprice de vouloir s'accorder du temps, bien que cela soit toujours important. En revanche, en d'autres circonstances cela peut effectivement être un besoin.

Dans l'analyse d'un besoin, il y a plusieurs variables dont nous devons tenir compte. Et avant de taxer un souhait de caprice ou encore de le qualifier de besoin il importe de se demander : à ce moment-ci de ma vie, ce souhait est-il pour moi essentiel au maintien de mon équilibre physique et psychique ?

Dans cet exercice, nous devons rester les seuls juges en la matière et ne pas nous laisser dicter nos « vrais » besoins par les autres. Cela demande toutefois une bonne dose d'estime de soi et c'est la plupart du temps à ce niveau qu'il nous faut travailler lorsqu'il s'agit de respecter nos besoins. Au chapitre de l'évaluation des besoins, il importe de rester autonome dans son jugement.

En effet, l'autonomie signifie « se conduire selon sa propre loi ». Elle se vit non pas dans l'indépendance mais dans l'interdépendance. L'autonomie ne signifiera jamais que nous devons tout faire nous-même ou que nous devons répondre à tous nos besoins sans l'aide des autres. L'autonomie, c'est savoir ce qui est nécessaire à notre bien-être et trouver les moyens appropriés pour nous assurer ce bien-être. Demander de l'aide relève aussi de l'autonomie. L'autonomie consiste à conduire notre vie, à faire des choix, à manifester nos besoins selon nos propres normes. Cela n'exclut en aucune façon le fait que nous puissions être concernés pas le bien-être des autres. C'est une question d'équilibre entre la préoccupation de soi et la préoccupation des autres.

3. Un regard critique sur l'utilisation de la pyramide de Maslow

Nous avons voulu aborder le sujet de la pyramide de Maslow, car son utilisation généralisée de manière abusive et parfois à contresens de son intention a, croyons-nous, contribué à créer une grande confusion dans la compréhension et l'acceptation de nos besoins. La quasi-totalité des ouvrages de psychologie qui traitent des besoins nous présente la nomenclature des besoins de Maslow comme une base théorique — formalisée ultérieurement sous forme pyramidale — incontournable dans la compréhension des besoins.

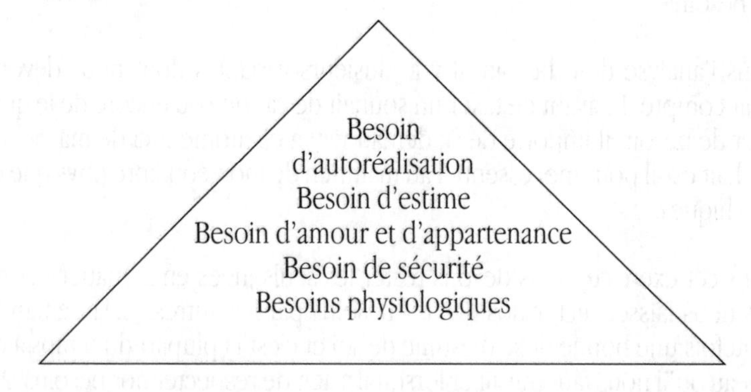

La pyramide de Maslow présente à la base les besoins de types fondamentaux, c'est-à-dire les besoins physiologiques et les besoins de sécurité et ainsi de suite. Maslow a émis l'idée que pour pouvoir ressentir un besoin à un niveau intermédiaire ou supérieur — soit l'appartenance et la réalisation par exemple — il faut que les besoins des niveaux inférieurs soient satisfaits. Il s'agit d'un modèle plutôt mécaniste de la compréhension des besoins humains. Il convient bien sûr de replacer cette grille de lecture dans son contexte historique.

Les théories de Maslow (1958) ont été émises aux États-Unis, après la Seconde Guerre mondiale, à un moment stratégique dans le développement des sciences pures et des sciences appliquées. En effet la confiance dans les progrès scientifiques et technologiques pouvait laisser croire à l'émergence d'un âge d'or pour l'humanité où les problèmes sociaux et sanitaires seraient mieux compris et maîtrisés. La pyramide de Maslow fournissait un outil simple, dont le fonctionnement est facile à comprendre et qui paraît surtout très logique. En effet, la nature ne fonctionne-t-elle pas ainsi ? Toute vie animale a besoin d'air, de nourriture et de chaleur pour survivre. Les autres besoins viennent ultérieurement. C'est cette logique simple qui a été appliquée au monde complexe des humains et de leur fonctionnement psychologique et social !

Cet outil a été utilisé partout, dans les sciences de la santé et les sciences sociales, mais surtout dans les sciences de l'administration et il a influencé la conception même des politiques sociales. D'une nomenclature qui servait à décrire les besoins, nous en sommes arrivés, dans son utilisation courante, à une échelle qui qualifie les besoins. Il y a d'abord les besoins de base qui sont jugés essentiels par l'ensemble de la société et qui font l'objet de mesures de protection sociale : se nourrir, se vêtir, être en sécurité par rapport aux agressions, avoir un toit et des soins. Le reste relève du domaine privé et la réponse à ces besoins est jugée beaucoup moins capitale. Il y a donc les besoins qui sont jugés fondamentaux par la société et ceux jugés accessoires.

Le philosophe Ignatieff nous dit que le mot « besoin » se réfère surtout à une catégorie morale. C'est ce qui explique, selon lui, que l'on s'attende à ce que ce soit la personne éprouvant le besoin qui est responsable de le satisfaire. Croire, par exemple, que la réponse aux besoins d'ordre psychologique relève du privé (l'individu) expliquerait, en partie du moins, le fait que nous ayons si peu de services pour aider les individus à répondre à leurs besoins affectifs et développementaux. Dans un hôpital de soins de longue durée par exemple, quel est le pourcentage de postes affectés aux soins physiques par rapport au pourcentage de postes affectés au soutien psychologique individuel et familial et à l'aide morale et spirituelle ?

Le rôle propre de l'infirmière inclut aussi une part de travail en relation d'aide. Mais est-ce que les structures de soin en tiennent compte dans l'aménagement des services et des horaires ? Est-ce que les plans de formation en tiennent compte dans tous les milieux et plus particulièrement dans ceux où la structure d'accueil devient le dernier milieu de vie des patients ? Nous croyons plutôt que les besoins dits de base structurent l'ensemble du travail de l'infirmière et que l'on répond aux besoins affectifs et de réalisation lorsque le temps le permet.

La hiérarchisation des besoins qui a découlé de l'usage de la pyramide de Maslow a fait en sorte que la quasi-totalité des ressources financières engagées dans les programmes sociaux et sanitaires l'est pour combler des besoins de base d'ordre physique et matériel. C'est une façon d'affirmer qu'il y a des besoins essentiels et d'autres qui ne le sont pas ou, du moins, qui ne relèvent pas de la responsabilité sociale. Ce message a été perçu par l'ensemble de la population.

Dans un autre ordre d'idée, et dans un domaine différent, pensons simplement à ces remarques que nous entendions souvent il y a quelques années lorsqu'une femme divorçait : « Elle a un bon mari, il ne la bat pas, il travaille, il ne boit pas, je ne vois pas ce qu'elle veut de plus ». En fait, un tel mari répondait sûrement aux besoins fondamentaux de sécurité tels que décrits par Maslow, et ceci correspondait probablement à une époque où la vie était matériellement plus difficile pour les femmes. Mais les critiques à l'endroit de ces femmes ne leur donnaient pour ainsi dire pas le droit de souffrir d'une carence au niveau des autres besoins car ceux-ci n'étaient pas jugés essentiels. Bien au contraire, ils pouvaient même être vus comme des caprices.

Les besoins affectifs sont des besoins qui, lorsqu'ils sont négligés, peuvent être tout autant source de souffrance que le manque de réponse aux besoins de base. Dans les pays occidentaux, par exemple, le suicide n'est généralement pas lié au manque de satisfaction des besoins de base mais bien plus au manque grave de réponse aux besoins d'appartenance et à toutes ses composantes affectives et aux besoins d'estime et de réalisation qui permettent de donner un sens à sa vie. Pensons à toutes ces personnes déprimées ou épuisées qui se culpabilisent parce qu'elles ont tout — famille, travail, argent — et qu'elles sont malgré tout malheureuses. Chaque individu a sa propre hiérarchie des besoins et certains donneraient bien leur sécurité et leur aisance en échange du sentiment de réalisation personnelle !

Pensons aux populations d'Afrique ou d'Asie où les besoins sociaux et les besoins d'estime par l'appartenance au clan sont des besoins puissants même si les besoins fondamentaux sont de façon générale peu ou mal comblés. Dans de tels milieux, une exclusion du clan serait ressentie croyons-nous comme plus dramatique qu'un manque grave au niveau des besoins physiologiques. Par exemple, les besoins de réalisation à travers la vie religieuse, l'ascétisme ou l'humanisme ne prennent-ils pas le pas sur les besoins physiologiques chez des individus d'exception tels que Gandhi ? Certains artistes ne vont-ils pas parfois négliger gravement leurs besoins physiologiques ou leur sécurité pour faire passer avant tout leur passion de créer et de se réaliser ? La règle découlant de la pyramide de Maslow laissant croire que les besoins de base doivent être satisfaits avant que les besoins des niveaux supérieurs se manifestent n'est pas applicable dans bien des situations sauf si elle est appliquée étroitement au plan très physiologique.

4. La prééminence des besoins dits de base

Cette prééminence des besoins physiologiques et des besoins de sécurité sur les autres niveaux de besoins a des répercussions directes sur certaines pratiques socio-sanitaires. Nous avons souvent été témoins de situations où une personne âgée dépendante et marginale avait été placée en institution contre son gré sous prétexte d'assurer une meilleure réponse à ses besoins fondamentaux. Nous avons observé qu'un très grand nombre de ces personnes décédaient dans les mois qui suivaient leur admission. Nos observations ont été corroborées par une étude américaine qui a constaté que le taux de mortalité dans les foyers pour personnes âgées est plus élevé parmi les résidents qui n'avaient pas vraiment choisi d'y être placés. Nous pourrions aussi énumérer une foule d'exemples où les besoins physiologiques prennent le pas sur les besoins affectifs. Pensons par exemple aux situations où, malgré le désir de mourir d'un patient, on procède à des réanimations ou à un acharnement thérapeutique. Les infirmières sont quotidiennement confrontées aux dilemmes moraux créés par les conflits de besoins entre ce que les malades désirent et ce que la société impose.

Selon nous, une même hiérarchie des besoins n'est pas applicable à tous. En effet, à l'intérieur d'une grille universelle chaque individu construit sa propre hiérarchie de besoins, en fonction de sa propre vision du monde et de sa façon unique d'affronter la vie. Nier cette personnalisation des besoins peut nous conduire en tant que soignant à des abus dans notre façon d'exercer notre profession. Il nous importe de rester vigilants vis-à-vis de cette réalité tant pour répondre à nos propres besoins que pour aider nos patients à mieux répondre aux leurs. Nous avons voulu mettre en lumière le fait que l'utilisation de la pyramide de Maslow peut parfois nous placer en conflit de valeurs dans la réponse aux besoins et le conflit de valeur entraîne de grandes pertes d'énergie.

5. Les droits à reconnaître ses besoins et les satisfaire

Beaucoup d'infirmières et de soignants ne se donnent pas le droit d'avoir des besoins car ils comparent leur situation à celle de leurs patients ! « Eux, ils souffrent vraiment, comment pourrions-nous nous plaindre de nos petites difficultés ? » Ils se disent alors que leurs patients ont de vrais besoins c'est-à-dire des besoins fondamentaux tandis qu'eux ont des besoins qu'ils jugent secondaires voire superficiels. C'est là pour nous une conséquence négative de l'adhésion aux principes d'une hiérarchisation universelle des besoins. On peut y voir également les effets d'une éducation judéo-chrétienne marquée par des messages familiaux tels que : « Tes besoins sont moins importants que ceux des autres », etc.

Les besoins des autres n'enlèvent rien à la légitimité de nos propres besoins. Le malade, la personne qui a eu une vie tragique, celle qui a occupé une fonction sociale importante ou même nos propres parents n'ont pas des besoins plus importants que les nôtres. Ils ont simplement, du fait de leur condition physique ou psychique, des besoins qui sont différents des nôtres. Le malade a besoin d'un soin adéquat et d'une approche chaleureuse certes, mais l'infirmière a besoin de respect et d'appréciation. Pourquoi ses besoins seraient-ils moins importants que ceux du malade? Pourquoi devrions-nous tolérer des comportements inacceptables, irrespectueux ou égoïstes sous prétexte que les personnes qui les commettent sont malades, sont âgées ou qu'elles ont souffert par le passé?

Le malheur, la maladie, le handicap, l'âge, le statut social ne donnent pas tous les droits. Ils ne donnent pas aux autres le droit de nous faire négliger nos propres besoins en tant que personnes et soignants. D'ailleurs, il faut bien le dire, si nous reportons trop souvent et trop longuement la satisfaction de nos besoins, nous ne serons plus en mesure physiquement et psychiquement de répondre aux besoins des autres car nous serons nous-mêmes en manque d'énergie et sans doute dans un grand état d'insatisfaction et de frustration. La réponse aux besoins ne se reporte pas impunément et c'est un mécanisme qui s'avère très coûteux au plan de la santé physique et mentale.

B. Les besoins psychologiques

Afin de trouver une meilleure façon de transiger avec les besoins et surtout afin de leur redonner une plus juste place dans notre vie, nous voulons ici partager avec vous ce qui au chapitre des besoins nous a semblé être la plus grande source de souffrance au plan moral pour les personnes que nous rencontrons régulièrement en consultation.

Lorsqu'en cabinet de consultation les clients épuisés ou déprimés nous parlent d'eux ou qu'ils nous racontent ce qui leur est arrivé ou ce qui les fait souffrir le plus, ils n'utilisent pas nécessairement le mot «besoin». Comme c'est le cas d'Anne-Lise par exemple. Il est rare en effet que nos clients comprennent d'emblée leur mal-être comme étant la conséquence à la difficulté de répondre de façon adéquate à leurs besoins. Ils mentionnent rarement en termes clairs qu'ils se sentent diminués de ne pas pouvoir continuer à se donner comme avant. Ils sont déprimés et peuvent le dire, mais ils ne parlent pas de leur besoin d'être valorisé par exemple. Par ailleurs, ils peuvent nous raconter avec maints détails comment ils ont aidé récemment une amie ou une belle-sœur malade ou en difficulté au plan personnel mais ils ne parlent pas réellement de leur besoin de se sentir utiles et de recevoir de la gratification pour leurs actions.

Lorsque nous rencontrons des personnes âgées nous nous rendons vite compte avec quel empressement elles nous entraînent dans leur passé de professionnel ou de mère de famille. Elles aiment parler du poste qu'elles occupaient et de l'importance qu'elles avaient dans l'entreprise ou à la maison. Souvent elles nous disent se sentir inutiles et ne plus servir à rien, elles ajoutent parfois : « Vous savez, moi j'ai toujours eu besoin de me sentir utile ».

Que dire de cette enseignante qui, occupant un poste de représentante syndicale, fut boycottée d'une façon très subtile par la direction de son établissement ? Pour des raisons prétendument de logistique, on transféra son bureau au sous-sol, à l'autre bout de l'immeuble, dans une petite pièce sans fenêtre. Ainsi, éloignée de ses autres collègues, il lui était devenu très difficile de pouvoir échanger tout propos. Désireuse de sauver la face, elle nia d'abord l'impact que ce changement avait sur elle jusqu'au jour où la déprime l'emporta. Elle se sentait affreusement seule, et n'avait plus le goût d'enseigner alors qu'elle adorait sa profession et les enfants à qui elle enseignait.

Elle ne savait pas exactement quel besoin avait été en souffrance, du moins ne le mentionnait-elle pas. Elle fut très surprise d'ailleurs de réaliser que le fait d'enseigner passait pour elle au second plan par rapport à ses besoins d'appartenance ou d'affiliation. En la reléguant aux oubliettes, l'administration avait touché une corde très sensible chez elle. Sa principale motivation avait été directement touchée. Si bien qu'après seulement quelques mois de ce régime elle se retrouvait anéantie. Devant cette évidence elle ne pouvait plus ignorer que son mal-être portait un nom. Elle avait été placée en situation de manque par rapport à son besoin d'affiliation.

Ainsi chacun de nous agit pour le compte d'un ou de plusieurs besoins qu'ils soient d'ordre physiologique ou psychologique. En réfléchissant de plus près au contenu des différentes histoires de vie et en ayant toujours en tête la nécessité de découvrir une façon simple et efficace de comprendre les besoins d'ordre psychologique malgré leur grande diversité, nous en sommes arrivées à la conclusion que nous pouvions regrouper ces besoins sous trois grandes catégories. En fait, nous avons réalisé que beaucoup de personnes étaient mues par le besoin d'attention alors que d'autres l'étaient davantage par le besoin d'affection et enfin que d'autres puisaient leurs motivations au sein du besoin d'affiliation. Ainsi, selon nous, les principales motivations qui sous-tendent nos actions sont les besoins d'attention, d'affection et d'affiliation et nous avons regroupé ces trois niveaux de besoin dans une grille de lecture des besoins affectifs.

1. La grille des trois A

a. Le besoin d'attention

Le besoin d'attention peut être compris comme le besoin de visibilité, lequel se manifeste par le besoin d'être vu, d'être entendu et d'être reconnu. Pensons à toutes ces personnes qui vivent en collectivité, qu'il s'agisse d'élèves à l'école ou de personnes âgées en institution. Plusieurs de ces personnes manifestent désespérément le besoin d'être vues, de ne pas passer inaperçues, perdues dans la foule comme des numéros. Elles veulent clamer leur individualité. Mais bien souvent, selon nous, elles cherchent à « attirer l'attention ». Et si nous reformulions cette phrase en disant : « Elles ont besoin d'attention », notre attitude serait-elle différente à leur égard ?

Combien de personnes travaillant en équipe ou participant à une conférence manifestent clairement et parfois même trop souvent le besoin de prendre la parole et d'être entendues par les autres ? Ce n'est pas nécessairement le fait d'être vu qui est le plus important pour ces personnes mais le fait de capter l'attention des autres, en exprimant leur opinion et peut-être en les influençant. En d'autres termes, ces personnes ont besoin d'être entendues.

Combien d'infirmières ont besoin d'évoluer dans un milieu où elles sont reconnues ? Elles ont besoin par exemple d'être appelées par leur nom ou encore d'être distinguées dans un groupe par une qualité ou une fonction. Elles peuvent également mettre beaucoup d'énergie afin de se distinguer dans un champ d'expertise particulier.

Mentionnons que le besoin d'attention est sans doute le besoin qui a été le plus vivement décrié. Nous avons déjà souligné comment la profession d'infirmière avait été marquée par les valeurs d'abnégation, de modestie et de don de soi. Il n'est pas étonnant alors que le besoin d'attention ait si mauvaise réputation dans le milieu infirmier. Pourtant, il s'agit là d'un besoin naturel et légitime pour tous et dont il convient de tenir compte surtout chez les personnes qui ont pu souffrir de carences à ce niveau au cours de leur développement personnel. Le besoin d'attention peut être pour beaucoup d'entre nous un puissant moteur d'action. D'ailleurs nous viendrait-il à l'esprit de montrer du doigt et de critiquer les personnes qui manifestent ce besoin lorsqu'elles font de la politique, du journalisme, du syndicalisme ou de l'art dramatique ?

b. Le besoin d'affection

Le besoin d'affection ou de gratitude pourrait être défini comme le besoin d'être accepté, aimé et valorisé. L'individu a d'abord besoin de s'accepter lui-même mais il a aussi besoin d'être accepté par les personnes significatives de son entourage. Si une personne se juge elle-même négativement par rapport à des critères physiques ou comportementaux ou encore à des choix qui sont jugés déviants par rapport aux normes sociales, elle aura beaucoup de mal à s'accepter et vivra très douloureusement le manque d'acceptation de la part de son entourage. L'acceptation nous semble constituer un préalable à l'amour de soi et à l'amour par les autres. L'observation de l'évolution affective de l'enfant nous montre combien l'acceptation et le besoin d'amour est capital dans le développement psychologique de l'individu.

L'amour se manifeste principalement à travers les marques d'affection, de tendresse et les attentions personnelles. L'amour est un facteur puissant de reconnaissance, d'acceptation et de sécurité affective. La personne qui a un grand besoin d'amour veut avant tout se montrer aimable c'est-à-dire digne de l'amour des autres. En ce sens, elle sera extrêmement sensible aux attentes et aux besoins des autres et elle risque de faire passer les besoins des autres avant les siens.

Le besoin de valorisation est particulièrement important dans tous les milieux de travail. Tout individu a besoin de se valoriser à ses propres yeux afin d'atteindre un niveau sécurisant d'estime de soi. Ainsi, l'individu qui a besoin de valorisation va-t-il tenter de se valoriser dans un contexte social en cherchant à y acquérir une place, en faisant en sorte que ses efforts ou ses succès soient soulignés par les autres et plus particulièrement par les personnes dont le jugement est important pour lui. Le sentiment de valeur personnelle est en relation étroite avec l'estime de soi. Ce sentiment nous vient, pour la plupart d'entre nous, du regard que l'autre porte sur nous, bien qu'il faille apprendre à s'estimer nous-même.

Le besoin d'affection est aussi un puissant moteur d'action pour un grand nombre d'individus. Un grand besoin d'affection prédispose certaines personnes à adopter des attitudes d'ouverture et oriente leurs choix de carrière vers des professions d'aide : soins infirmiers, travail social, éducation, etc.

c. Le besoin d'affiliation

Le besoin d'affiliation pourrait être compris comme le besoin d'être recherché, entouré et soutenu. Ces besoins se traduisent souvent par le besoin de soutien affectif et professionnel de la part des membres de son équipe ou de ses supérieurs hiérarchiques. La personne qui a besoin d'être recherchée, celle dont le principal moteur est le besoin d'affiliation, veut exercer un attrait sur les autres par ses qualités physiques ou morales. Le fait que les autres viennent à elles, souhaitent sa présence et l'incluent vient renforcer son estime et sa confiance. Une personne qui a besoin d'être recherchée est très vulnérable aux situations d'exclusion. Vous avez peut-être vécu l'expérience suivante. Un groupe doit être divisé en deux équipes et le capitaine de chaque équipe doit choisir à tour de rôle ses joueurs. Comment se sent la personne qui est la dernière à être choisie ? Si elle a un fort besoin d'être recherchée, elle se sentira sûrement très malheureuse et rejetée.

D'autre part, la personne qui a besoin d'être entourée déteste travailler seule. La solitude est pour elle une source d'angoisse. La présence des autres la stimule et lui donne de l'énergie. La personne qui a besoin d'être entourée a souvent développé des stratégies pour l'être. Mais il se peut aussi qu'elle ne sache pas comment se faire accepter et se faire des amis et qu'elle souffre de son isolement. Dans le besoin d'être recherché, la personne attend que les autres viennent à elle. Pour elle, peu importe que ce soit les autres qui la choisissent ou elle qui choisisse les autres. Seul compte le résultat : être entouré.

Si certaines personnes peuvent s'épanouir entourées d'un grand nombre de gens, d'autres ont besoin d'être entourées avant tout de personnes qui les soutiennent. Ici, ce n'est pas le besoin d'être continuellement en contact avec plusieurs personnes qui prime. C'est plutôt la qualité des contacts qui est importante. Des contacts qui doivent apporter un soutien à l'individu à différents niveaux : fonctionnel, social ou affectif. La personne qui a besoin de soutien doit savoir qu'elle peut compter sur les autres pour recevoir différentes formes d'aide au moment requis. Le besoin de soutien est en lien étroit avec le besoin de sécurité affective.

Les individus motivés par le besoin d'affiliation font des choix personnels ou professionnels qui les mettent en contact avec les autres de façon continue. Ils sont davantage attirés vers les sports d'équipe que vers les sports individuels. De plus, si les conditions s'y prêtent, ils sont susceptibles de développer un fort esprit de famille. En général, ces personnes choisissent des professions où elles peuvent travailler en équipe et s'identifier à un milieu bien défini.

2. Leur manifestation

En écoutant attentivement le discours des personnes épuisées ou déprimées nous pouvons reconnaître où le bât blesse. En effet, les patients disent assez facilement qu'ils « sont laissés pour compte », qu'ils n'ont pas été invités à tel rassemblement, que les autres ne pensent jamais à eux, qu'ils se sentent exclus, oubliés, rejetés. D'autres encore affirment : « Quoi que je fasse, personne ne me remarque ». Voilà autant de façons de dire que nous sommes privés d'attention, d'affection, d'affiliation.

Revenons à Anne-Lise, qui semble ressentir des besoins d'affection. Elle-même manifeste des marques d'affection à ses proches lorsqu'elle leur envoie par exemple des cartes de souhaits. Et, sans qu'elle se le dise ouvertement, elle aimerait bien être traitée de la même façon, c'est-à-dire avec considération, délicatesse et amour. Elle s'est oubliée, et les autres l'ont oubliée aussi. En fait, nos vis-à-vis nous traitent souvent de la façon dont nous nous traitons nous-même et nous faisons généralement pour eux ce que nous souhaiterions qu'ils fassent pour nous.

Anne-Lise n'avait pas un grand besoin de visibilité, elle n'avait pas besoin d'être entourée continuellement. Au contraire, la solitude lui faisait du bien mais elle souffrait surtout d'un manque profond d'affection pour elle-même et d'un manque d'affection de la part de ses proches. En cours de cheminement thérapeutique, elle a dû commencer par accepter ce besoin sans se juger puis elle a accepté de commencer d'abord par y répondre elle-même. En changeant d'attitude, elle a réalisé que les autres lui témoignaient davantage d'affection.

En fait, nous souffrons tous, de façon plus ou moins intense, d'une certaine carence par rapport à nos besoins psychologiques. L'un d'eux peut dominer nettement pendant une certaine partie de notre vie tandis qu'un autre sera plus facilement comblé.

Nous croyons que l'un de ces trois besoins d'attention, d'affection et d'affiliation, va nettement dominer et orienter notre façon de nous comporter avec les autres et ce tant dans notre vie personnelle que professionnelle. Souvenons-nous que nos besoins peuvent changer et que ces changements peuvent nous amener à faire de nouveaux choix au cours de notre carrière dans le but de mieux répondre à nos besoins psychologiques.

Exercice

Les besoins psychologiques

Pour faire cette activité de réflexion, reportez-vous à votre enfance. Prenez le temps de vous rappeler vos attitudes et vos comportements envers les autres.

Que pouvez-vous dire concernant vos besoins psychologiques (attention, affection, affiliation) ?
Maintenant pensez à l'époque où vous avez choisi de devenir infirmière. Quel lien pouvez-vous faire entre vos besoins

d'attention, d'affection, d'affiliation et votre orientation professionnelle ?
Aujourd'hui, que pourriez-vous dire de ces trois besoins psychologiques (attention, affection, affiliation) ?

Note : cette façon de voir les besoins peut être nouvelle pour vous. Il se peut que vous ayez besoin d'y revenir ou de vous observer avant de bien cerner votre besoin moteur parmi les besoins d'attention, d'affection et d'affiliation. Cette réflexion s'est avérée très utile pour mieux évaluer nos chances de retour.

a. Reconnaître nos besoins psychologiques et nos choix professionnels

Les situations actuelles de compression budgétaire dans le secteur de la santé risquent de créer un grand nombre de cas d'épuisement chez les infirmières touchées par les réaménagements d'effectifs. En effet, les gestionnaires de service ne semblent pas tenir compte systématiquement des besoins psychologiques dans la réaffectation de leur personnel. Ils ne tiennent pas davantage compte systématiquement des besoins de retour qui sont en lien avec les différents besoins psychologiques. Prenons l'exemple d'une infirmière qui a choisi de s'orienter vers les soins de haute technicité tels que le travail en salle d'opération, les soins intensifs ou l'urgence. Elle peut avoir fait ces choix par besoin de visibilité et ce qu'elle attend en retour de son investissement c'est le sentiment de maîtrise technique et d'efficacité dans les soins.

Si l'administration ferme son poste et l'oriente en soins de longue durée, que va-t-il se passer ? Elle risque de ne pas recevoir les retours qu'elle attend ; en soins de longue durée, les retours sont plutôt d'ordre affectif. Elle effectuera un travail qui ne répondra pas nécessairement à ses besoins psychologiques les plus importants. À plus ou moins long terme, cette infirmière risque de vivre une situation de lassitude et d'épuisement sans toutefois bien comprendre les origines de cette lassitude.

Mais à travers tous ces bouleversements nous pouvons réaliser que nos choix de carrière ne correspondent plus ou correspondent partiellement à nos besoins psychologiques actuels. Un besoin d'attention très fort chez une infirmière pourrait l'orienter davantage vers une fonction de gestion, de formation, d'enseignement ou d'encadrement de stages. Un besoin d'affiliation important l'orientera davantage vers le travail en milieu hospitalier ou en maison de retraite médicalisée plutôt qu'en pratique libérale. Un important besoin de gratitude ou d'affection peut l'amener à s'orienter vers des services où la clientèle est plus stable qu'en soins de courte durée et où l'infirmière a la possibilité de créer des liens tels que les services pour personnes âgées, ou pour personnes handicapées.

Une meilleure connaissance de nos besoins psychologiques nous amène inévitablement à nous repositionner au plan personnel ou professionnel. Lorsque nous réalisons que le milieu de travail dans lequel nous évoluons ne répond pas ou ne répond plus à nos besoins, nous pouvons commencer à réfléchir à nos choix sans pour autant vouloir tout jeter par-dessus bord. C'est ce que nous aborderons dans les chapitres suivants qui traiteront des choix et du changement.

C. Résumé du chapitre

La satisfaction du besoin est un ingrédient essentiel au maintien de l'équilibre physique et psychologique d'une personne.

Nous pouvons vivre différents conflits vis-à-vis de nos besoins. Nous pouvons refuser certains besoins, nous pouvons les négliger, les ignorer. Nous pouvons juger que nos besoins sont dérangeants. Nous pouvons avoir honte de certains besoins.

Les besoins sont subjectifs et peuvent difficilement être jugés par les autres. Ce qui est essentiel aux uns ne l'est pas forcément pour les autres. Les besoins sont souvent taxés de caprices lorsqu'ils dérangent les autres. Nous devons rester les seuls juges de nos besoins. Chacun possède sa propre hiérarchisation de besoins.

La maladie, le handicap, le malheur ou le statut social ne donnent pas tous les droits aux malades ou aux membres de nos familles. Leurs besoins sont différents. Mais le droit d'avoir des besoins est le même pour tous.

Les besoins psychologiques peuvent se regrouper autour de trois grands types de besoins : les besoins d'attention, d'affection et d'affiliation.

Le fait de connaître nos besoins psychologiques nous permet de mieux nous orienter dans la profession de façon à maximiser les retours énergétiques.

D. Références utiles

Arcand (M.), Brissette (L.), *Prévenir l'épuisement en relation d'aide : guide d'autoformation*, Gaëtan Morin, Boucherville, 1994.
Arcand (M.), Brissette (L.), *Le Jeu des droits, s.l.n.d.*
Chalifour (J.), *La Relation d'aide en soins infirmiers : une perspective holistique-humaniste*, Gaëtan Morin, Boucherville, 1989.
Saint-Arnaud (Y.), *Devenir autonome*, Le Jour, Montréal, 1982.

Chapitre 5

LES CHOIX

L'an 2000 approche ! Diverses technologies sont mises à notre disposition. Nous pouvons nous voir sur écran avec toutes sortes de coiffures et choisir la coloration de notre chevelure par ordinateur. Dans la cuisine, les aliments peuvent être cuits en quelques minutes. Des robots culinaires hachent menu les aliments alors que d'autres sont conçus pour nettoyer la piscine. Il sera bientôt possible de voir nos correspondants à l'écran au cours de nos échanges téléphoniques. Les billets de théâtre ou de train sont réservés par téléphone ou Minitel. Les opérations bancaires sont accessibles à toute heure par téléphone. Déjà, depuis un certain temps, nous utilisons ce qu'il est convenu d'appeler l'argent électronique et une marée d'informations est accessible sur Internet.

Dans un autre ordre d'idées, nous acceptons mieux les différences d'opinion, de rythme biologique et de style de vie que ne pouvaient le faire les générations qui nous ont précédés. Nous nous voyons offrir la possibilité de travailler selon des horaires plus flexibles, les mariages mixtes ne font plus la manchette des journaux, et comme le dit si bien Alvin Tolfler dans *La Troisième Vague*, nous aurons plusieurs carrières et cela n'aura rien d'extraordinaire. Le fait de changer d'emploi et même de carrière n'est plus un signe d'instabilité bien au contraire, puisque nous valorisons de plus en plus le fait d'avoir plusieurs cordes à notre arc. Nos enfants bougeront plus que nous, ils changeront de région et pourquoi pas de pays s'il leur faut gagner leur vie. Nos maisons de pierres demeureront plus solides et durables mais qui pourra être assuré de les habiter toute une vie ? En un mot, nous devrons développer nos capacités d'adaptation.

Cette multitude de choix possibles nous place-t-elle dans l'embarras ou nous ouvre-t-elle des horizons? Il semble que le fait d'être en situation de choix soulève toujours quelques inquiétudes. Faire des choix peut être relativement facile, mais les assumer c'est souvent autre chose. Est-ce pour cette raison que plusieurs personnes affirment encore ne pas avoir le choix ? Que nous disent-elles exactement lorsqu'elles font cette affirmation?

A. La difficulté du choix

L'expression «je n'ai pas le choix» tombe comme un couperet sur la bonne volonté de vouloir aider. En fait, cette phrase coupe la communication et stérilise l'imagination. Et à partir du moment où nous disons ne pas avoir le choix, nous ne cherchons plus d'issues possibles. De plus, lorsque nous adoptons cette position ou que nous adhérons à cette croyance, nous bloquons nos chances de découvrir des voies nouvelles de solutions et de cette croyance découleront inévitablement des attitudes.

Les infirmières, qu'elles soient cliniciennes, gestionnaires ou enseignantes, doivent savoir qu'il peut être très «énergivore» de vouloir convaincre quelqu'un qu'il a des choix. Cette croyance du non-choix amène le développement d'attitude de fermeture, se manifestant le plus souvent par des jeux de «oui... mais» et débouchant sur des discussions stériles et interminables où les joutes de l'esprit seront leur seule consolation.

B. Le choix et le pouvoir personnel

Affirmer que nous avons le choix c'est au contraire affirmer que nous avons un certain pouvoir personnel sur le cours de notre vie. C'est se comporter en acteur de notre vie et non en victime passive. Mais cette affirmation est, elle aussi, difficile à porter puisqu'elle implique une part de responsabilité par rapport à soi et par rapport à sa vie. Affirmer que j'ai le choix, c'est aussi dire que j'ai la responsabilité de décider et d'assumer les conséquences de ces choix. Certaines personnes préféreront fuir le fardeau de la responsabilité et se comporter comme si elles n'avaient aucun pouvoir. Elles laissent ainsi les circonstances ou les autres décider à leur place. Elles pourront alors invoquer la fatalité, la malchance, l'incompréhension des autres et ainsi se place en position de Victime.

Le fait de croire à notre possibilité de choisir nous met en contact direct avec notre pouvoir personnel. Et si ce pouvoir comporte une responsabilité parfois lourde à porter, il implique aussi une grande possibilité de réénergisation. Affirmer avoir le choix nous donne de la force intérieure, de la fierté et de l'énergie pour passer à l'action. Au contraire, l'expression « je n'ai pas le choix » nous renvoie à notre faiblesse et notre vulnérabilité. Il est préférable dans certaines situations contraignantes de dire : « Je fais le choix, pour le moment, de travailler dans cet hôpital pour gagner ma vie » plutôt que de dire : « Je n'ai pas le choix de travailler dans cet hôpital. » Dans le premier cas, je me situe dans ma volonté et mon pouvoir et je souligne que cette situation est temporaire, donc je garde l'espoir d'un changement. Dans le second cas, je suis face à mon impuissance et ce sans espoir de changement. La célèbre thérapeute familiale Virginia Satir décrit en cinq « libertés » ce pouvoir personnel dont chacun est doté : la liberté de percevoir ce qui est à l'instant présent, plutôt que ce qui était, ce qui sera ou ce qui devrait être ; la liberté de penser conformément à sa pensée, plutôt qu'en fonction des attentes d'autrui ; la liberté de ressentir ses véritables sentiments, plutôt qu'en fonction des attentes d'autrui ; la liberté de désirer et de choisir comme on l'entend, plutôt qu'en fonction des attentes d'autrui ; la liberté d'imaginer sa propre actualisation, plutôt que de tenir un rôle rigide ou de ne jamais courir de risque.

Pour Virginia Satir, ces libertés mènent à l'acceptation de soi et à l'intégration. Un immense pouvoir personnel résulte de l'actualisation de telles libertés. Toute l'énergie de la personne peut alors circuler librement vers l'extérieur pour affronter le monde tout en satisfaisant ses propres besoins. Mais il ne faut jamais oublier que si la liberté et le pouvoir personnel donnent de l'énergie, ils peuvent aussi faire peur. En effet, assumer son pouvoir personnel n'est pas toujours une chose facile.

1. Le choix de repenser nos choix

Lorsque nous avons demandé à Marie-France pourquoi elle avait offert à sa belle-mère de venir demeurer à la maison, celle-ci nous répondit qu'elle n'avait pas le choix. D'ailleurs, nous dit-elle, la question ne s'est même pas posée. « Ce fut comme un automatisme. J'ai toujours fait ce qu'il y avait à faire. Je le sais maintenant, toute mon énergie était dirigée vers l'autre. Je ne connaissais rien à la question du compte en banque énergétique. Je n'en avais pas la moindre idée. J'étais comme hypnotisée... Je suis un peu triste de réaliser aujourd'hui que mon parcours aurait pu être différent. »

Anne-Lise fit sensiblement le même parcours. Sans trop savoir pourquoi, elle se sentait mal à l'aise et honteuse quand elle s'occupait d'elle-même, elle n'était pas étonnée de ses choix professionnels et personnels. Mais, à la lumière de ses nouvelles connaissances, elle dut arriver aux limites de l'épuisement pour réaliser que répondre aux besoins des autres avant les siens était sa manière habituelle de fonctionner et que cela l'avait fragilisée.

2. La notion de choix et les personnes « de devoir »

Les personnes « de devoir » semblent vivre comme si elles avaient un chemin tracé à l'avance. Leur style de vie comme le choix de leur profession leur apparaît comme une conséquence logique de leur passé, de leur éducation, et des principes auxquels elles adhèrent. Chez les personnes « de devoir », la discipline est une vertu très valorisée et recherchée. Ce sont des personnes qui ne se donnent pas d'autre choix que celui d'obéir aux consignes et elles respectent les règles établies par les autres... ou par elles-mêmes.

Nous avons été particulièrement étonnées de constater, chez un grand nombre d'infirmières, la similitude du discours autour de la question du choix. Elles nous disent souvent qu'elles n'ont pas le choix, elles doivent s'occuper des enfants, de leurs travaux scolaires, les soigner lorsqu'ils sont malades. Elles doivent soulager les malades, les écouter avec patience et entendre les plaintes des familles. Elles doivent continuer à travailler pour des raisons financières. Elles se doivent de rendre service aux membres de leur famille qui en ont besoin. Elles se doivent de recevoir les invités qui s'annoncent, d'être à l'écoute de leurs amis. Elles doivent travailler même si elles sont fatiguées, etc. Ancrées dans cette croyance, elles tentent même de nous convaincre en ajoutant : « Je n'ai pas le choix vous savez » avec un ton parfois impatient.

Sous le joug du «Je n'ai pas le choix» nous fonçons tête baissée dans la foule de tâches qui se présentent à nous et nous croyons alors qu'elles nous incombent toutes. Le réflexe de répondre présent à l'appel est si ancré qu'il ne permet aucun délai entre la demande et la réponse à cette demande. De plus, il ne permet pas de prendre du recul pour bien diagnostiquer ce qui m'appartient ou ce qui appartient aux autres.

3. La conséquence psychologique de l'absence supposée de choix

Le fait de vivre avec la croyance que nous n'avons pas le choix va influencer notre pensée et celle-ci va à son tour influencer nos attitudes et nos comportements et ce jusque dans les moindres gestes de la vie quotidienne. Cette façon de penser nous empêche souvent de déléguer ou de communiquer nos souffrances. De plus, notre perception d'une absence de choix peut faire obstacle à la possibilité de renouveler nos énergies dans d'autres champs d'activité.

En conséquence, les personnes qui pensent ne pas avoir le choix font peu de demandes d'aide. Elles assument tout. Dans une situation difficile, elles se confient peu aux autres et tentent d'assumer seules leur souffrance. Elles vivent souvent dans la solitude et leur croyance fait également obstacle à l'exploration de champs d'activités ou de ressources pouvant renouveler leur énergie. En d'autres termes ce sont des personnes qui subissent et endurent pendant des années des situations difficiles car elles sont convaincues qu'elles n'ont pas le choix.

Il est vrai, et nous devons le signaler, certaines situations offrent peu de possibilités de changement. Toutefois, il est préférable de penser en terme de marge de manœuvre, si minime soit-elle, que de penser en terme de non-choix. À l'intérieur de conditions de vie ou de travail qui peuvent sembler très contraignantes, l'infirmière doit, pour «survivre», trouver des moyens de rester en mouvement.

Sans vouloir comparer leur situation à celles des prisonniers de guerre, nous pourrions citer les conclusions de Bruno Bettelheim au sujet de la survie des prisonniers dans les camps de concentration. «La survie dépendait souvent de la capacité de l'individu à préserver une certaine initiative, à demeurer maître de quelques aspects importants de sa vie, en dépit d'un environnement assez écrasant... S'assurer face à une pression extrême, une zone de liberté de pensée, si insignifiante fût-elle.» En ce sens, la croyance de «je n'ai pas le choix» nous enferme encore plus sûrement que les conditions mêmes du milieu de travail ou de vie.

Il est d'autant plus faux d'affirmer que nous n'avons pas le choix, que nous faisons des choix à chaque instant. Même le fait de ne pas faire de choix est déjà un choix ! Le fait de se laisser épuiser sans réagir est aussi un choix. Sans doute, c'est ce qui nous paraît le plus facile ou le plus acceptable à faire à un moment et dans des conditions particulières de notre vie. Il est également difficile dans un choix d'affronter l'inconnu. L'avenir est incertain et personne ne peut dire si nous faisons fausse route. De plus, choisir signifiera toujours laisser tomber quelque chose et ce deuil est parfois pénible. Nous aimerions bien profiter à la fois du «beurre et de l'argent du beurre». En réalité, ce que nous ne voulons pas, c'est d'affronter les conséquences découlant de nos choix ! Affirmer que je n'ai pas le choix, c'est en fait affirmer que les choix sont difficiles à faire et que leurs conséquences peuvent faire peur.

Pensons en terme de marge de manœuvre et de solutions nouvelles et nous pourrons facilement imaginer le mouvement qui s'installe à l'intérieur de notre cerveau. Nous lui donnons une commande qui l'incite à se programmer différemment et à sortir des sentiers battus pour explorer les sphères du possible. Notre cerveau se met alors en mouvement, tel un ordinateur à qui nous aurions donné la commande de se mettre en contact avec de nouvelles données. Et notre hémisphère droit, siège de notre créativité, est un immense réservoir de nouveautés.

4. La personne désignée

Il nous arrive parfois d'être placées ou de placer les autres dans des situations délicates quant à la question du choix lorsque nous parlons de «personne désignée». Être la personne «toute désignée» pour qui, pour quoi, et pourquoi ? Nous évaluerons notre disponibilité émotive en utilisant notre intellect. Nous analyserons la proposition en pensant à nos propres besoins, à notre histoire affective et nous pourrons choisir de dire oui ou non lorsque des tâches nous seront confiées. Les infirmières nous semblent avoir une conscience quasi naturelle par rapport à ce qui doit être fait. Le revers de la médaille peut cependant jouer des tours en nous figeant dans des «rôles» de personne toute désignée; «c'est mon rôle et je ne peux m'y soustraire». Nous pouvons tenir compte de nos responsabilités et de nos engagements tout en effectuant du changement dans nos vies. Nous pouvons satisfaire nos besoins d'attention, d'affection et d'affiliation en faisant des choix conformes à notre désir de soigner sans s'épuiser.

Quelle latitude pouvons-nous nous donner? Quelle est notre marge de manœuvre possible? Pouvons-nous refuser d'être la personne «toute désignée»?

C. Le pouvoir de choisir

1. Les choix possibles et les trois composantes de la personne

En psychosynthèse, une approche psychologique élaborée par Assagioli, nous abordons l'étude de la personne, dans ses interactions avec le milieu, en tenant toujours compte des trois composantes suivantes: le corps, les émotions et le mental.

En prévention de l'épuisement, il importe d'avoir cette grille à l'esprit pour analyser plus à fond notre comportement. Par exemple, si dans l'ensemble de notre vie nous fonctionnons toujours au niveau des émotions, nous nous fragilisons de diverses manières. Si au contraire nous fonctionnons toujours à partir de notre intellect sans tenir compte de nos émotions nous nous fragilisons aussi. Si nous ne tenons jamais compte du corps dans nos prises de décision, il peut lui aussi se fragiliser.

Lorsque nous agissons principalement par devoir, nous prenons rarement le temps de nous demander si nous avons l'énergie pour accomplir la tâche qui nous incombe. Lorsque nous agissons sous le coup de l'émotion nous ignorons également toute une partie de nous-même. Tout comme Marie-France, nous prenons des décisions «affectives». Par exemple, est-il bien raisonnable de prendre des décisions qui engagent toutes nos énergies ou du moins une grande partie de ces dernières en nous basant uniquement sur notre bon cœur ? Ne pouvons-nous tenir compte de nos sentiments, de nos émotions tout en sachant transiger avec notre intellect dans le meilleur respect de notre corps ?

Lorsque nous nous sentons la personne « toute désignée » nous sommes facilement sollicitées au niveau du cœur et des émotions. Si de surcroît cela nous flatte, il nous sera plus difficile de réfléchir à toutes les implications que supposent les demandes qui nous sont faites. Nos décisions seront prises à partir de nos émotions sans tenir compte de notre corps et de notre raison. En prenant le temps d'interroger nos trois composantes (corps, émotion, raison), nous serons en meilleure position de contrôle sur notre vie. Ainsi nous pourrons faire le choix d'accepter ou de refuser les demandes qui nous sont faites.

Marie-France s'est perçue comme la personne toute désignée tant dans sa vie personnelle que professionnelle. Elle a pris sa belle-mère à la maison et elle a accepté le poste de cadre qui lui était proposé sans vraiment en faire le choix, comme autrefois elle avait accepté son rôle de grande sœur et de soutien des parents. Elle a donc, à plusieurs reprises, au cours de sa vie, été la personne toute désignée.

Lorsque Anne-Lise reprit sa thérapie et qu'elle voulut travailler à mieux se connaître au niveau des besoins, elle prit conscience que le fait de se sentir flattée d'être la personne « toute désignée » avait pour une large part déterminé son parcours de vie dans le don de soi. C'est ainsi qu'elle en était venue à oublier ses propres besoins pour prendre soin de ceux des autres. Elle s'était construite une image autour de ce personnage et elle en était longtemps restée prisonnière.

Au cours d'une séance de thérapie elle se souvint dans la douleur et dans les larmes d'un certain été de ses 12 ans :

> « **J**'étais une enfant seule qui n'avait pas beaucoup d'amies. J'allais à l'école puis j'aidais ma mère. Mon amie Michèle un jour m'a dit qu'elle allait à une réunion de guide. Je ne savais pas ce que c'était mais cela m'a intéressée. Ils avaient besoin de nouvelles recrues dans la troupe et elle m'invita à assister à une rencontre

d'information. C'était la première fois que je sortais le soir avec une amie. Je m'en souviens comme si c'était hier. Je suis revenue enthousiasmée. Les responsables avaient parlé d'un camp d'été où l'on dormait sous la tente. Les grands jeux de nuit m'ont fait rêver et j'avais hâte d'y participer. Je voulais m'amuser. La vie était souvent morne et triste à la maison. Mes parents travaillaient beaucoup et ils n'accordaient pas de place aux loisirs dans la vie familiale. En fait, il n'y avait rien de bien réjouissant dans ma vie de petite fille. Je n'avais pas l'habitude des groupes et j'étais timide ».

Anne-Lise nous a raconté qu'elle aimait bien l'ambiance dans la troupe. Ce qu'elle aimait par-dessus tout c'est qu'elle était prise en charge par la cheftaine, ce qui lui faisait beaucoup de bien. Elle a commencé à apprendre le morse et le sémaphore. Elle apprenait vite et elle était très empressée à aider celles qui avaient des difficultés. Même si elle était une nouvelle recrue, elle a été tout de suite remarquée par les animateurs de la troupe.

Bien que son amie Michèle ait été plus ancienne, plus expérimentée et plus extravertie, c'est à Anne-Lise que l'on proposa la fonction de responsable de groupe. Celle-ci se sentit très flattée. Dans sa famille, personne ne la remarquait. Elle était pourtant l'aînée mais la mère était souvent malade et tous les enfants se débrouillaient pour ainsi dire seuls. Dans les tâches concrètes, Anne-Lise était très mûre. En revanche, sur le plan affectif elle se sentait une petite fille. En réalité jamais personne ne l'avait vraiment guidée ou protégée dans la vie. Chez les guides, elle se sentait encadrée, tout en se sentant une enfant parmi des enfants.

Aujourd'hui, elle le sait, les responsables du mouvement firent une erreur monumentale en la nommant si tôt chef d'équipe. Elle n'avait pratiquement pas eu le temps de savourer sa position de simple guide accompagnée et encadrée qu'elle se voyait déjà promue à un poste de responsabilité. Une enfant qui n'a pas été protégée ne sait pas comment reconnaître ses limites. Elle ne sait pas ce qui est trop pour elle.

De flattée Anne-Lise passa rapidement à un état de stress. Elle avait peur de faire des gaffes, elle avait du talent pour apprendre mais elle ne se sentait pas l'âme d'un chef. Elle ne voulait pas décevoir ceux qui disaient avoir besoin d'elle. Plus elle se sentait dans l'insécurité plus elle devenait autoritaire pour se faire écouter de ses jeunes disciples. C'est au camp d'été que tout se gâta.

Anne-Lise n'avait jamais quitté sa famille. Elle ne savait pas comment prendre sa place dans un groupe et de plus devait être chef. Son équipe avait toujours du retard. À l'époque, dans ce mouvement, il y avait des rituels qui ressemblaient un peu à ceux que l'on retrouve dans l'armée. Inspection des tentes, des ustensiles de cuisine, des vêtements, tout devait être impeccable, même les nœuds du foulard devaient être exécutés à la perfection.

L'équipe d'Anne-Lise prenait du retard et se marginalisait au fur et à mesure que les jours passaient. Anne-Lise, qui devait être chef et donner le bon exemple, commença à critiquer la nourriture, les heures du coucher. Elle raillait la cheftaine. Elle adopta des comportements qui ne pouvaient passer inaperçus. Elle devenait de plus en plus agressive. Elle se mit à injurier une petite fille d'une autre équipe — qui, durant l'année scolaire, fréquentait la même école qu'elle — sous prétexte que cette dernière, affichant une maigreur certaine, se moquait ouvertement de ses propres rondeurs.

Elle nous dit: «Je ne savais pas trop pourquoi je faisais cela, mais je ne savais plus à qui en vouloir tant j'étais mal dans ma peau.» Comble de l'offense et de l'erreur, elle fut menacée d'être renvoyée du camp. Elle dut même aller voir l'aumônier. Que pouvait-elle dire? Elle ignorait elle-même ce qui se passait. Elle ignorait que la personne toute désignée peut être piégée et ne pas être disponible affectivement pour occuper un poste de chef même si elle en a la capacité intellectuelle. Chaque personne a besoin d'une période de protection qui lui donne l'occasion de bâtir une bonne stabilité affective. Être trop vite élevée au rang de chef peut être désastreux pour une enfant. Les enfants ont besoin d'être vus, entendus, reconnus, mais ils n'ont pas nécessairement envie d'être marginalisés ou surchargés d'un rôle qui les sort de la fratrie ou de la camaraderie. Il en va de même dans un milieu de travail.

Être la personne «toute désignée» pour qui, pour quoi, et pourquoi? Nous évaluerons notre disponibilité émotive en utilisant notre intellect. Nous regarderons la proposition en pensant à nos propres besoins, à notre histoire affective et nous pourrons choisir de dire oui ou de dire non lorsque des tâches nous seront confiées.

Exercice

La personne désignée

En vous référant à l'histoire d'Anne-Lise, que pouvez-vous dire de vous sur le thème de la personne désignée ?

Êtes-vous une personne désignée ?
Quel est votre souvenir le plus marquant à cet effet ?
Que diriez-vous de vos choix possibles maintenant ?
Votre besoin d'affiliation est-il plus important que votre besoin d'attention ?

Note : cet exercice va vous permettre de retracer dans votre histoire affective ce qui a pu ou non vous prédisposer à être la personne toute désignée. Cette connaissance vous offre une plus grande liberté d'action quant aux tâches qui vous seront proposées de les accepter ou de les refuser le cas échéant.

2. Le rôle d'aidant et le phénomène de marginalisation

Dans un groupe de formation que nous animions, nous avons rapidement repéré que Marie-Carmen, l'une des participantes, se tenait physiquement à l'écart c'est-à-dire qu'elle choisissait toujours le siège qui était le plus proche d'un coin de la pièce. Elle participait à tous les jeux de rôle, elle s'exprimait facilement, mais nous semblait triste et fatiguée. Malgré sa jeune trentaine, son dos semblait tellement voûté que nous ne pûmes nous empêcher d'évoquer ce cliché : Marie-Carmen portait le monde sur son dos. Sa mère, qui s'occupait quotidiennement de sa propre mère, venait à son tour de tomber malade. Marie-Carmen semblait très soucieuse. Lorsque le thème du choix fut abordé, Marie-Carmen semblait vouloir disparaître sous terre. La proposition de se joindre à un sous-groupe pour effectuer les exercices proposés semblait être pénible pour elle. Nous la sentions complètement « coincée », tant psychiquement que physiquement. À la fin de la formation, profitant de la cohue du départ, elle vint nous avouer combien ce thème du choix l'avait ébranlée.

Marie-Carmen nous confia que sa famille était d'origine portugaise et que, selon la tradition familiale, elle devait prendre soin de sa mère tout comme celle-ci avait pris soin de sa grand-mère. Le fait qu'elle soit la seule fille de la famille, qu'elle soit soignante et géographiquement proche de sa mère semblait en faire la personne toute désignée. Elle avait elle-même deux enfants en bas âge et son mari tolérait à peine qu'elle exerce son métier. Elle se sentait prisonnière des exigences de ses proches. Elle était inquiète pour sa santé. Comment ferait-elle pour assumer tous ces rôles ? « Je n'ai pas le choix » nous dit-elle les larmes aux yeux. « Qui d'autre peut prendre la relève pour s'occuper de ma mère et de ma grand-mère ? Que feriez-vous à ma place ? » nous dit-elle avec une pointe d'amertume et de souffrance. Ses yeux nous laissaient voir sa colère. Ils nous suppliaient de répondre et de lui trouver une solution... Ce fut un moment très pénible, pour nous les animatrices et pour elle qui nous avait ouvert son cœur en nous faisant confiance.

Nous avons pris le temps d'écouter Marie-Carmen qui nous disait s'être inscrite à cette formation pour y trouver des réponses. Pour l'instant, elle était submergée par ses émotions et son corps semblait très secoué. Nous avons misé sur le fait que Marie-Carmen pourrait prendre du recul et avoir accès à de nouvelles grilles de lecture de sa situation afin de rationaliser ses investissements d'énergie et éviter l'épuisement.

3. Le choix du cadre et le choix dans le cadre

Soyons réalistes, Marie-Carmen n'aura sans doute pas le choix du cadre. Son système de valeurs lui tiendra lieu de guide et elle optera sans doute pour la continuité du rôle d'aidant. Elle fera tout ce qui est en son pouvoir pour venir en aide à sa mère et à sa grand-mère, sans pour autant négliger son travail ou son mari et ses enfants.

Toutefois, lorsque nous n'avons pas le choix de notre cadre de vie, nous pouvons tout de même nous autoriser certains choix à l'intérieur de ce même cadre afin de protéger notre santé et nos énergies.

Pour bien tenir le rôle qui nous échoie, nous devons nous employer à trouver des mécanismes de soutien. Dans ce genre de situations, nous sommes souvent aux prises avec deux systèmes de valeurs, le nôtre et celui des gens à qui nous venons en aide. À titre d'exemple, si la mère de

Marie-Carmen ne « veut pas d'étrangers dans ses affaires », elle contraindra sa fille à des gymnastiques horaires inhumaines. Si elle ne veut pas que son fils ou sa bru lui donnent ses soins d'hygiène, ceci incombera alors complètement à Marie-Carmen. Pour protéger l'énergie de l'aidant pivot et lui permettre de continuer à occuper son rôle le plus longtemps possible, chaque partie doit « mettre de l'eau dans son vin ». La personne malade ne peut tout imposer à son aidant. Qu'il s'agisse d'un patient avec lequel nous n'avons aucun lien de parenté ou qu'il s'agisse de notre grand-mère, nous devrons apprendre à respecter nos limites et à plus fortes raisons si nous sommes sollicitées de toute part.

Quels seraient par exemple les choix de Marie-Carmen dans son rôle d'aidante principale de sa mère et sa grand-mère ? Elle pourrait choisir de travailler à temps partiel, choisir de demander à ses frères une certaine contribution financière pour s'offrir de l'aide ou pour combler son manque à gagner. Elle pourrait choisir de ne pas céder à leur argumentation à propos de leurs faibles moyens financiers. Elle pourrait aussi faire la même demande de contribution à sa mère et sa grand-mère. Elle pourrait choisir d'engager une aide-ménagère, elle pourrait choisir de prendre une demi-journée par semaine juste pour elle et à ce moment de confier les enfants à une gardienne. Elle pourrait demander à ses frères d'assumer deux fins de semaines par mois, etc. La liste des possibilités pourrait s'allonger mais, pour cela, Marie-Carmen devra accepter de se donner des choix et accepter de bousculer l'ordre traditionnel des choses dans son milieu familial.

En acceptant de faire des choix dans son cadre de vie, Marie-Carmen pourra cesser de subir sa vie. Elle devra cependant être préparée à assumer les conséquences de ses choix et peut-être même à faire face aux réactions de l'entourage. Elle devra peut-être se trouver des alliés dans la famille ou dans son réseau personnel pour la soutenir dans ses choix. Sa mère devra accepter des étrangers dans la maison, ses frères devront se mobiliser une fin de semaine par mois, son mari devra accepter de manger occasionnellement du surgelé. Faire des choix dans le cadre exige une conviction profonde dans la nécessité et la légitimité de protéger sa santé. Il faut déjà avoir fait le point sur notre droit d'avoir des besoins et d'y répondre !

La même réflexion peut être menée, même si les marges de manœuvre sont plus réglementées, en prenant pour exemple le cadre du travail infirmier. S'il est clair que le cadre défini par le choix de la profession et du milieu de travail ne peut être remis en question, quels seront pour vous les choix possibles à l'intérieur de votre cadre de travail ? Pouvez-vous choisir de travailler à temps plein ou partiel, de changer d'horaire ou de service ? Pouvez-vous accepter ou refuser une promotion ? Voulez-vous travailler différemment, diminuer votre rythme, prendre vos pauses, ne pas parler du travail lors de ces pauses, donner ouvertement votre opinion dans l'équipe ou au contraire réserver votre opinion pour ceux qui vous acceptent ? Si vous ne pouvez pas changer de comportements, vous pouvez à tout le moins changer certaines attitudes et certaines pensées par rapport à votre travail. Il existe une large gamme de choix possibles dans le cadre de travail. L'imagination est un atout précieux dans la prévention de l'épuisement. Mais vous devrez être préparées aux réactions que ces choix peuvent provoquer autour de vous, dans votre famille ou votre équipe de travail.

4. Le choix et les contraintes

Dans une situation où nous n'avons pas le choix du cadre, nous devons nous employer, comme nous l'avons déjà dit, à trouver tous les choix possibles à l'intérieur de ce cadre. Plus il y a de contraintes dans une situation plus nous devons utiliser notre imagination et notre créativité pour faire reculer les frontières du possible. En effet, en relation d'aide, notre capacité à nous débrouiller avec les « moyens du bord » ou à « changer notre fusil d'épaule » sera un atout dans la prévention de l'épuisement. Nous nous épuiserons rapidement si nous résistons au changement, si nous tentons de « tenir les colonnes du temple » afin que rien ne bouge ou si nous mettons toute la souffrance des autres sur nos épaules.

Prendre du recul vis-à-vis de la souffrance des autres, voilà un choix possible et un choix à faire dans le cadre de toutes les situations que nous vivons, qu'elles nous soient imposées par la vie ou que nous les ayons choisies. Malgré le fait que la maladie peut nous imposer un cadre de vie très rigide, nous avons tout de même des choix. Allons-nous nous apitoyer sur notre sort, abandonner, combattre, apprendre, faire les choses autrement, faire autre chose ? À nous de choisir.

Exercice

Les choix

Repérez une situation où vous sentez que vous êtes sans choix et identifiez les contraintes qui viennent de vous, celles qui viennent de l'autre et celles qui viennent du contexte.

Référez-vous à la grille du JE, TU, CONTEXTE. Sur trois colonnes juxtaposées, faites la liste de vos contraintes. Exemple :

JE	TU	CONTEXTE
1. Je ne pourrai jamais abandonner ma mère	2. Ma mère n'a pas beaucoup d'argent	3. Mon horaire de travail est trop exigeant

Que pouvez-vous conclure ?

Note : prenez le temps de vous arrêter pour bien identifier les obstacles anticipés, ceux qui viennent de vous, des autres et du contexte. Cet exercice va peut-être vous reconfronter à de la culpabilité ou à certains besoins qui auraient pu vous échapper.

D. Résumé du chapitre

« Je n'ai pas le choix. » Cette phrase a pour effet de bloquer la réflexion, elle stérilise la créativité, elle bloque la communication avec l'interlocuteur et trop souvent justifie notre passivité.

Pour protéger notre énergie, il faut bouger et élargir notre marge de manœuvre dans une situation qui peut nous sembler ou qui peut être contraignante.

Nous avons toujours des choix. Ce sont souvent les conséquences de ces choix qui nous font peur ou que nous ne voulons pas assumer. Même le fait de ne pas faire de choix, c'est déjà un choix !

Nous pouvons faire des choix de cadre : cadre de vie personnelle et professionnelle. Mais nous pouvons et nous devons faire des choix à l'intérieur des cadres que nous aurons choisis.

Croire que les choix sont toujours possibles, c'est redevenir actif dans sa vie.

E. Références utiles

Bradshaw (J.), *La Famille*, Modus Vivendi, Montréal, *s.d.*
Marquier (A.), *Le Pouvoir de choisir*, Éditions universelles du Verseau, Montréal, 1991.
Peck (S.), *Le Chemin le moins fréquenté*, *s.l.n.d.*
Satir (V.), *Thérapie du couple et de la famille*, ÉPI, Paris, 1971.

Chapitre 6

COMMENT PRENDRE SOIN DE SOI POUR NE PAS S'ÉPUISER

Tout le monde s'entend pour dire que la santé est le bien le plus précieux :

> «"Quand on a la santé on a tout", disait ma grand-mère. Quand j'étais jeune, je trouvais cette phrase plutôt amusante. Je pensais que c'étaient des phrases de vieux» s'empresse de dire Marie-France.
>
> « Aujourd'hui, j'aimerais bien retourner en arrière car je crois que je ferais plus attention à moi. Je sais maintenant qu'il en va de même pour notre santé que pour notre manière de gérer nos finances. Les petites erreurs que l'on commet aujourd'hui vont faire toute la différence demain. On se comporte avec notre santé comme on le fait souvent pour les économies, on remet à plus tard. Je voudrais que ma douloureuse expérience serve au moins à quelque chose ou à quelqu'un, alors j'essaie d'en faire prendre conscience à mes amies et à mes enfants. Il me semble pourtant que je prêche souvent dans le désert. »

Les infirmières sont à l'affût d'occasions pour rendre service, que ce soit dans leur vie personnelle ou professionnelle. De par leurs fonctions, elles sont effectivement en position de «prendre soin» de l'autre, et dans leur vie privée elles se placent souvent en situation d'être sollicitées. Nous avons d'ailleurs été impressionnées par le côté naturel, pourrait-on dire, des facteurs d'ordre moral et philosophique constituant leur motivation. Prendre soin des autres fait partie de leur culture personnelle et professionnelle.

A. Portrait d'une infirmière

En général, nous observons que les infirmières sont des personnes d'action. Elles veulent soulager la souffrance physique et morale, s'impliquent et veulent entrer en relation de manière authentique et engagée avec le malade et sa famille. Elles sont partagées entre la volonté de consacrer du temps à cette relation et l'obligation de répondre aux prescriptions médicales croissantes. Elles ont des préoccupations humanistes et ont parfois du mal à prendre du recul dans une situation chargée émotionnellement. Elles sont soucieuses d'accueillir l'autre dans ce qu'il vit, sont fiables et perfectionnistes. En contrepartie, cela fait d'elles des personnes particulièrement vulnérables à l'abus et à l'épuisement si elles ne sont pas au clair avec leurs limites et leurs propres exigences.

Exercice

Portrait robot d'une infirmière

Vous reconnaissez-vous dans ce portrait ? En quoi êtes-vous semblable et en quoi êtes-vous différente ?

Nous vous proposons de faire l'exercice de vous situer sur une échelle de 1 à 10 pour chacun des traits suivants :

- La perfection 1-2-3-4-5-6-7-8-9-10
- L'efficacité 1-2-3-4-5-6-7-8-9-10
- La compétence 1-2-3-4-5-6-7-8-9-10
- L'abnégation 1-2-3-4-5-6-7-8-9-10
- L'empathie 1-2-3-4-5-6-7-8-9-10
- Le conformisme 1-2-3-4-5-6-7-8-9-10
- La fiabilité 1-2-3-4-5-6-7-8-9-10
- Le respect de l'autre 1-2-3-4-5-6-7-8-9-10
- Le respect des règles 1-2-3-4-5-6-7-8-9-10
- Le désir de reconnaissance 1-2-3-4-5-6-7-8-9-10
- La peur du jugement 1-2-3-4-5-6-7-8-9-10
- Le désir de soulager 1-2-3-4-5-6-7-8-9-10
- La peur de déplaire 1-2-3-4-5-6-7-8-9-10
- Le désir de rendre les autres heureux 1-2-3-4-5-6-7-8-9-10

Que diriez-vous de la direction de votre énergie en rapport avec les réponses que vous avez notées ?
Que pouvez-vous faire pour protéger vos énergies et votre santé ?

Mettez en exergue deux de ces énoncés et dites pourquoi.
Écartez deux de ces énoncés et dites pourquoi.

Note : pour réaliser cet exercice, vous pouvez faire une petite enquête dans votre famille ou auprès d'amis(es) qui sont proches de vous. Vous pouvez évidemment le faire sans aide.

Soulignons qu'il convient de situer ce portrait dans le cadre de nos observations sur le parcours de l'épuisement.

B. Les quatre principes d'Alexander Lowen

Si le don de soi fait partie de la culture personnelle et professionnelle de l'infirmière, elle aura beau prendre toutes les résolutions du monde il lui faudra beaucoup de volonté pour s'accorder des priorités. Sans vouloir tout changer dans votre manière de fonctionner, vous pouvez mettre en place une routine de vie autour de certains principes de protection de l'énergie. Nous pensons qu'il est possible d'aspirer à une meilleure hygiène personnelle de vie tout en respectant les valeurs de don de soi que nous mettons en priorité.

Lorsque nous demandons aux infirmières épuisées qui nous consultent d'énumérer leurs valeurs, nous retrouvons notamment le respect de l'autre, l'honnêteté, la justice, la bonté, la droiture, la beauté, la ponctualité, la famille, l'application, l'éducation, la culture, etc. Il est rare que la santé fasse partie de la liste. Cette dernière est plutôt considérée comme un bien et non comme une valeur ou un principe directeur. Or, après une réflexion sur la prévention de l'épuisement il arrive souvent que la santé soit vue autrement et qu'elle se retrouve en tête de notre liste de valeurs.

Lorsque la santé devient la valeur prioritaire, elle sert de balise décisionnelle. Elle devient, pourrait-on dire, le garde-fou de toutes les autres valeurs. Par exemple, notre manière de nous impliquer et d'établir nos limites dans l'efficacité, notre empathie, notre respect de l'autre ou des règles passeront par le « filtre santé ». Ainsi, avant de foncer tête baissée et d'accueillir sa belle-mère, Marie-France aurait pu se demander si en faisant cela elle n'allait pas hypothéquer sa santé. À tout le moins elle aurait pu se demander dans quelles conditions elle pouvait le faire en privilégiant le don de soi tout en respectant sa valeur santé.

Lorsque nous avons parlé de l'énergie dans le premier chapitre, nous avons souligné l'apport essentiel d'Alexander Lowen dans la compréhension du phénomène de l'énergie. Reportons-nous maintenant aux quatre grands principes de protection de l'énergie qui ont été énoncés par Lowen. Voyons comment ils peuvent vous guider au quotidien sur le chemin de la protection de votre santé.

1. Respirer

Pour Lowen, il s'agit en tout premier lieu de respirer. Si Lowen lui a accordé autant d'importance c'est qu'il est sans doute nécessaire de dépasser l'évidence de la respiration pour entrer dans toutes les nuances de cette dernière et surtout de prendre le temps de découvrir des façons concrètes de mettre ce principe en application.

Au cours des rencontres de groupe, Marie-France, Lucie, Anne-Lise, Sophie, Brigitte et Carole ont travaillé en sous-groupe sur le thème de la respiration. Entre autres, Anne-Lise nous a dit qu'elle pouvait respirer de bien des manières tant physiquement que psychologiquement. Son escapade à l'hôtel avait été pour elle une façon de respirer dans son rôle d'aidant. La respiration peut en effet être comprise comme une brisure du rythme, un temps d'arrêt, un sas entre deux activités exigeantes. C'est un moment de fantaisie, une bouffée d'air frais que nous prenons lorsque nous avons l'impression d'étouffer dans notre vie.

Lucie avait depuis peu appris à respirer tout en faisant des tâches qui lui demandaient de l'application. Elle avait pris conscience qu'auparavant, lorsqu'elle travaillait sous pression, coincée par le temps, elle bloquait également sa respiration. Elle avait le diaphragme complètement tendu. Elle s'était donc astreinte dans ces moments-là à respirer calmement, consciemment et profondément. Elle mettait davantage l'accent sur une expiration longue et complète, car c'est souvent cette partie de la respiration qui est négligée lorsque nous sommes stressés. Ce qui était au départ une discipline exigeante pour elle était devenu avec le temps une habitude et même un réflexe, et cela lui faisait beaucoup de bien.

a. La respiration et le mouvement

Marie-France a réalisé qu'il lui était favorable au plan de l'énergie de faire travailler son système cardio-respiratoire :

> « **A**vant, lorsque j'avais un coup de pompe, ou que je manquais d'énergie, je prenais une tablette de chocolat et j'obtenais ainsi rapidement de l'énergie. Cette solution ne réglait que temporairement mon problème. Comme j'avais tendance à faire de l'hypoglycémie, je me retrouvais dans le cycle infernal des chutes de sucre. En revanche lorsque j'allais chercher l'énergie par l'exercice physique en nourrissant mes cellules d'oxygène et non de glucose je m'en portais beaucoup mieux.
> Cependant, pour me permettre de m'adonner à une activité physique, j'ai dû surmonter une croyance très ancrée dans ma famille : si une personne fait de l'exercice c'est qu'elle a du temps à perdre ! Par exemple, j'avais toujours le droit de visiter ma grand-mère mais lorsqu'il s'agissait de jouer avec mes amies, mon père me disait : "Tu n'as rien d'autre à faire" ? Et puis, ma mère disait qu'une femme musclée ce n'était pas féminin. Comme si tous les exercices physiques conduisaient à la musculation ou à la débilité. Elle disait souvent en voyant des culturistes : "Gros muscles pas de génie".
> Dans ma famille donc, bouger n'avait pas beaucoup d'importance sauf pour travailler. Je dois tout de même m'affranchir de ces croyances car elles me limitent. J'ai une longue pente à remonter. Je sais que je ne perdrai pas mes mauvaises habitudes du jour au lendemain, mais je me donne toutes sortes de petits moyens pour penser à respirer. J'ai placé, bien en évidence dans mon bureau et dans ma maison, des photos de personnes qui font du sport. Enfin, je vais respirer de plus en plus souvent à la campagne et j'accompagne le chien dans ses courses matinales. Des petits trucs de rien du tout mais qui me font beaucoup de bien. Avant je croyais qu'un bon bain à la chandelle allait me faire du bien. C'est vrai que cela me détend mais cela ne me procure pas d'énergie nouvelle. »

Entraînée par les confidences de Marie-France, Anne-Lise nous apprit qu'elle adorait danser et qu'elle en redécouvrait les plaisirs :

« J'aime particulièrement le cha-cha-cha, et après mes soirées de danse je serais prête à courir le marathon. Je n'aurais jamais cru que cela puisse me faire autant de bien. J'y gagne beaucoup en souplesse et cela me prépare pour mon ski l'hiver prochain. La musique m'habite de longues heures après que je suis rentrée chez moi. Toute la maisonnée me trouve rajeunie et transformée. Je pensais que ce n'était plus de mon âge, et j'avoue que j'avais des préjugés défavorables au sujet des personnes qui fréquentaient les clubs de danse. Vous ne le croirez jamais, mais je vais m'inscrire à des cours de danse sociale et, de plus, mon mari accepte de m'accompagner toutes les fois que cela lui sera possible. »

Marie-France, Lucie et Anne-Lise étaient belles à voir lorsqu'elles partageaient leurs nouvelles expériences. Elles avaient l'œil brillant et elles dégageaient une énergie qui se communiquait à tout le groupe. Nous avons continué notre échange sur le thème de la respiration en mettant l'accent sur la différence qui existe entre les activités de détente et les activités qui nous procurent de l'énergie. En début de rencontre, cette distinction ne paraissait pas évidente et la plupart des participantes du groupe parlaient plutôt des activités de relaxation qu'elles connaissaient.

Les activités de relaxation sont souvent plus attrayantes que les activités sportives surtout si nous sommes fatiguées et abattues. Dans ce cas, nous n'avons surtout pas envie de bouger et nous préférons nous lover dans notre fauteuil préféré pour une longue soirée devant le petit écran. Il est vrai que cela peut nous détendre, surtout parce que nous sommes souvent debout pour dispenser les soins aux malades. Tout de même, notre corps a besoin de respirer l'air pur et il a aussi besoin de bouger autrement que dans des gestes de routine. L'apport en oxygène est particulièrement important pour notre état de santé général. En conséquence, nous devons éviter la sédentarité même si cela peut nous paraître parfois très difficile.

2. S'exprimer

Le nouveau courant de la communication développé par l'école de Palo Alto pose comme postulat : « On ne peut pas ne pas communiquer ». Paraphrasant cette affirmation, nous dirons également : « On ne peut pas ne pas s'exprimer ». En effet, toutes les paroles que nous prononçons et tous les gestes que nous posons sont expression. Cependant, lorsque Lowen nous invite à nous exprimer il fait plutôt référence aux expressions libératrices de tension ou aux expressions se rapportant à la libération de notre énergie créatrice.

Lorsque nous pensons expression, nous pensons presque toujours à l'expression verbale. Mais le fait de s'exprimer ne se réfère pas uniquement à la parole. Cela se réfère également à toutes les activités de création ou d'actualisation de notre potentiel. Nous avons besoin de nous manifester et de nous extérioriser et il importe de trouver des moyens et des lieux d'expression qui nous permettent de canaliser harmonieusement notre énergie. Le thème de l'expression peut être envisagé de différentes façons.

a. L'expression thérapeutique

Si nous abordons l'aspect thérapeutique de l'expression, nous serons alors à la recherche d'activités libératrices des frustrations et des tensions. Les thérapeutes pourront alors proposer des groupes de parole ou des exercices visant à extérioriser la colère, la peine et la peur car nous savons que ces émotions sont lourdes à porter et qu'elles causent des blocages énergétiques. Les activités d'expression thérapeutique sont très souvent essentielles voire incontournables pour les professionnels de la relation d'aide et chez les personnes épuisées.

Ainsi, les infirmières devront trouver des moyens de «défouler» leurs frustrations comme elles ont communément l'habitude de dire. Elles ne pourront se défouler à droite et à gauche de manière destructrice. Il leur faudra donc trouver un lieu et un moyen d'exprimer leurs émotions afin d'éviter qu'elles ne soient paralysantes et qu'elles ne «s'incrustent» dans le corps. Les thérapeutes suggèrent souvent des moyens d'expression qui mettent le corps à contribution parce que, tout compte fait, c'est lui qui accuse le contrecoup du vécu émotionnel.

Les groupes de paroles sont certes aidants, mais la parole à elle seule ne suffit pas, il faut mobiliser le corps. Goleman mentionne par exemple que la colère fait affluer le sang vers les mains afin de permettre à l'individu de frapper un ennemi ou de s'emparer plus prestement d'une arme. Nous avons appris fort heureusement à ne pas régler nos différends à l'aide de nos poings ou en prenant les armes. Mais en citant Goleman nous voulons simplement attirer l'attention sur une réaction physiologique qui se fait instantanément et qui s'inscrit dans la mémoire corporelle. Ce qu'il importe de retenir, c'est que l'énergie bloquée doit pouvoir trouver un sain exutoire.

Les enfants trouvent souvent des moyens pour libérer leurs émotions : ils tapent du pied, trépignent sur place, crient et pleurent, claquent les portes ou déchirent un dessin avec vigueur. De toute évidence ces comportements libèrent leur corps de la tension générée par une émotion intense. Dans un même ordre d'idées, vous souvenez-vous avoir vu un enfant s'adonner au rituel de poursuivre un caillou à coups de pied ? Il voit le caillou, le projette plus loin en lui donnant un coup de pied puis le rattrape, le frappe à nouveau, le rattrape encore et le poursuit durant de longues minutes jusqu'à ce qu'il s'en désintéresse. Puis il se met à siffloter, apparemment soulagé d'avoir poursuivi son ennemi. Y met-il un visage, une situation, une frustration particulière ou se défoule-t-il tout simplement ? Si nous nous sentons pleins de tensions, il y a de fortes chances pour que nous ayons accumulé stress et frustrations. Que pouvons-nous faire pour exprimer cela ? Que pouvons-nous faire pour libérer notre corps ? Alexander Lowen suggère des battements de pieds ou des exercices où l'on se défoule des tensions accumulées en frappant avec une raquette de tennis sur un matelas mousse. De tels exercices peuvent ne pas nous convenir. Dans ce cas, nous pouvons inventer un exercice à notre convenance tout en respectant l'objectif poursuivi : l'expression.

Dans un service de soins à domicile où nous avons travaillé, il y avait un couple de personnes âgées dont la femme était atteinte d'un cancer en phase terminale. Devant la souffrance de son épouse, le mari était submergé par la colère et la peine. Il profitait de la visite de l'infirmière pour sortir dans son jardin où il allait y fendre du bois pendant de longs moments. Pour lui, le maniement de la hache était un exutoire à sa détresse. Une autre patiente s'était, quant à elle, procuré des verres de peu de valeur et elle les brisa un à un dans un lieu sécuritaire qu'elle avait choisi pour la circonstance. Cette activité la libéra d'une grande charge de colère et de tension qu'elle traînait depuis plusieurs années.

Ne vous laissez pas surprendre par le caractère infantile de ce genre d'expression mais tentez plutôt de trouver un moyen qui peut vous libérer. Dans le même ordre d'idées, l'écriture est souvent utilisée comme moyen d'expression thérapeutique. Cependant, dans certains cas, il vaut mieux ne pas relire ce que l'on a écrit afin de ne pas réactiver ou enraciner ce que nous avons voulu exprimer c'est-à-dire sortir de nous. Faites plutôt un petit rituel libérateur et brûlez le papier en question, déchirez-le et autorisez-vous à le disperser aux quatre vents, ou encore enterrez-le.

La croyance la plus répandue en matière d'expression des frustrations est que cela ne donne rien. Il est vrai que cela ne règle rien à la situation qui a causé les frustrations. Mais l'expression peut être utile pour empêcher d'accumuler des tensions. Les frustrations et les tensions qui en découlent prennent toute la place intérieurement et font blocage à une bonne circulation d'énergie. Il faut trouver des moyens de libérer ces tensions. Le moyen de l'un n'est pas le moyen de l'autre, vous l'aurez compris, mais il importe de chercher pour trouver ce qui vous convient le mieux.

En séance de thérapie de groupe, la proposition des exercices liés à l'expression libératrice doit évidemment se faire avec prudence. On ne s'improvise pas thérapeute et on ne propose pas ces exercices à la légère. Il importe d'être toujours au clair avec l'objectif poursuivi et nous devons rester dans les règles de l'art. Il ne s'agit pas de suggérer le défoulement collectif débridé mais de soutenir et d'encourager l'expression libératrice tout en respectant le rythme de chaque participant. Nous pouvons faire des suggestions à condition de ne jamais forcer les participantes à s'exécuter. Le thérapeute doit prendre la précaution de valider les abstentions tout autant que les participations.

La recherche a démontré que le groupe de thérapie pouvait être un outil très précieux pour l'expression. Il sert pourrait-on dire de « contenant thérapeutique ». Nous avons en effet très souvent observé au cours de notre pratique que lorsque la souffrance est accueillie elle peut être guérie. Et, à ce titre, les participants du groupe deviennent pour ainsi dire les témoins de la souffrance ou de la colère exprimée ce qui semble d'autant plus bénéfique pour la personne qui s'exprime. Toutefois, soulignons que le groupe en tant qu'outil thérapeutique ne saurait convenir à tout le monde et ne peut être prescrit qu'avec intelligence et prudence. En parlant de groupe, nous avons tout simplement voulu partager le fruit de nos observations. Les rencontres individuelles peuvent aussi être très bénéfiques, et il est également possible de faire une démarche de réflexion sans être systématiquement accompagné.

b. L'expression créatrice

Les activités plus ludiques ou artistiques vont permettre également de renouveler les énergies. Elles sont des atouts précieux dans la prévention de l'épuisement. En effet, en accordant plus de place au jeu, au plaisir et à l'expression créatrice il semble plus facile d'absorber les coups durs lorsqu'ils se présentent. Les comportements trop « aseptisés » au contraire suggèrent des états d'âme favorisant la déprime. Habituellement valorisantes, les activités d'expression créatrice vont garnir notre compte en banque énergétique car elles offrent la possibilité de retour. Elles nous permettent de nous exprimer en dehors de la sphère de notre travail et cela nous évite de mettre tous nos œufs dans le même panier. En effet, la valorisation qui nous manque dans une sphère de notre vie peut se retrouver dans le cadre d'activités culturelles ou artistiques.

Une infirmière qui avait été mutée dans un service où elle ne recevait pas de retour suffisant à son investissement d'énergie a spontanément commencé à s'investir dans le chant choral. Son talent et son travail lui ont permis de devenir soliste. La gratification et le plaisir qu'elle a retrouvés dans cette activité lui ont par la suite permis de supporter son travail peu gratifiant sans tomber en faillite énergétique. De plus, cette activité correspondait aussi au premier principe de Lowen car chanter permet également de respirer.

L'expression peut évidemment se faire de bien des manières. Les loisirs, les activités sportives, les rencontres sociales en sont de bons exemples. Cela peut se faire également dans la famille, dans l'équipe de travail, en faisant du syndicalisme ou en participant à des comités et tout autant en exerçant une profession. Il est possible d'exploiter divers aspects de soi dans divers domaines. Il ne s'agit pas ici de se surinvestir dans maintes directions mais plutôt de s'investir dans une ou des activités qui génèrent de l'énergie. Finalement, ce qu'il faut surtout comprendre c'est que l'expression fait référence à la circulation des énergies et que l'expression thérapeutique tout comme l'expression ludique et créatrice permet d'entretenir une bonne vitalité.

Exercice

Les activités « réénergisantes »

Identifiez les activités qui vous donnent de l'énergie. Si vous avez de la difficulté à en trouver, repassez en revue certaines périodes de votre vie et voyez si vous pouvez vous souvenir de moments plus excitants.

Ces activités avaient-elles des caractéristiques communes ? Était-ce des activités qui se déroulaient en plein air, des activités sociales, culturelles ou artistiques ? Était-ce des activités que vous réalisiez seule ou avec d'autres personnes ?
À quand remonte votre dernière implication dans de telles activités ?
Avez-vous mis de côté des activités qui vous étaient bénéfiques en énergie ?
Si vous privilégiez maintenant la santé, que ferez-vous pour respirer et pour vous exprimer ?
Évitez de vous mettre un cadre trop rigide, ou des exigences inatteignables. C'est le meilleur moyen de vous décourager et de vous culpabiliser. Soyez réalistes mais pensez respiration et expression !
Quelle conclusion pouvez-vous tirer de ce que vous avez lu concernant les expériences de Marie-France, Lucie et Anne-Lise et que diriez-vous de vos habitudes de respiration et d'expression ?

Note : les activités réénergisantes sont différentes des activités de relaxation. Le mouvement est à privilégier dans les activités qui donnent de l'énergie.

3. Régler ses conflits

« Une chose plus facile à dire qu'à faire » direz-vous et sans doute avec raison. La vie est faite de conflits car elle met en présence des personnes qui sont très différentes dans leurs idées, leurs valeurs, leurs modes de vie. Le conflit est inévitable car il naît des différences. Au cours de toute notre vie, nous aurons à faire face à des conflits et nous tenterons avec plus ou moins de succès de les solutionner. Par définition un conflit suppose un problème à résoudre. Le conflit naît de la tension qui existe entre deux positions ou deux possibilités de choix qui s'opposent. Si elle perdure, cette tension risque d'engloutir une grande quantité d'énergie. La résolution des conflits permettra d'enrayer la fuite énergétique et, de ce fait, contribuera à prévenir l'épuisement.

a. Les conflits intrapersonnels

Il existe deux formes de conflits : le conflit intrapersonnel et le conflit interpersonnel. Le conflit intrapersonnel est celui qui résulte de la confrontation entre deux idées, deux principes ou deux valeurs en apparence de même importance ou de même poids moral. Par exemple, Marie-France peut se retrouver en conflit intrapersonnel si elle désire s'accorder un peu de liberté et sortir seule avec son mari et si elle souhaite ne pas déplaire à sa belle-mère et la sécuriser en ne la quittant jamais.

Brigitte se retrouve en conflit intrapersonnel lorsqu'elle constate le risque encouru par son ami, qu'elle veut intervenir sans son accord tout en voulant conserver l'amitié qui les unit. En jetant toutes ses valeurs par-dessus bord, Marie s'est retrouvée en conflit de valeur entre son sens de la responsabilité et sa valeur de liberté personnelle.

Au plan professionnel, l'infirmière est souvent placée en conflit intrapersonnel lorsqu'elle constate des faiblesses ou des fautes professionnelles chez des collègues et qu'elle veut continuer d'être acceptée par le groupe. Elle peut se retrouver coincée entre ses propres valeurs et celles de ses patients. Jusqu'où ira-t-elle pour amener ses patients à changer de comportement et devenir plus responsables à l'égard de leur santé ? Doit-elle faire pression sur une personne âgée pour la convaincre d'entrer en structure d'accueil ou respecter son choix de demeurer à domicile avec les risques que cela suppose ?

Le conflit intrapersonnel semble toujours difficile à résoudre. Il place en situation de choix entre deux valeurs importantes et cela aboutit parfois à une impasse. Devant la difficulté de choisir entre deux valeurs, il arrive souvent que les gens abdiquent. C'est d'ailleurs ce que fit Marie. Dans une situation il peut s'avérer nécessaire de choisir la valeur de liberté individuelle et en conséquence laisser tomber une de nos responsabilités. Mais cela ne signifie pas que nous devions laisser tomber toutes nos responsabilités. Nous pouvons choisir la solidarité d'équipe et ne pas rapporter à nos supérieurs les indélicatesses commises par une collègue tout en faisant connaître notre opinion à cette personne. Nous pouvons choisir la liberté de la personne âgée tout en respectant notre valeur de sécurité en cherchant avec la famille les meilleurs moyens d'assurer la sécurité à domicile. En fait, il ne s'agit pas d'abandonner une valeur importante, mais plutôt de changer, lorsque la situation le commande, l'ordre de nos priorités.

b. Les conflits interpersonnels

Les conflits interpersonnels comportent également cette dualité entre deux valeurs. Dans le conflit interpersonnel cependant, ce sont deux individus différents qui défendent chacun leur valeur. Marie-France est en conflit larvé avec sa belle-mère quant à la façon d'élever les enfants. Elles se confrontent au niveau des principes d'éducation. De plus, comme Marie-France est une femme exigeante par rapport à elle-même et aux autres, il lui arrive d'être en conflit avec certaines collègues ou employées par rapport aux exigences de travail. Dans ce cas, il peut s'ensuivre de longues discussions sur l'efficacité par exemple. Qu'est-ce qu'un travail bien fait pour elle et pour les autres ? Qu'est-ce qui est le plus important dans son service de soins prolongés, la liberté et l'autonomie des bénéficiaires ou leur sécurité ? Lorsqu'ils perdurent, les conflits intrapersonnels et interpersonnels drainent une grande quantité d'énergie. Cela équivaut à se retrouver assis entre deux chaises.

Dans une optique de prévention de l'épuisement, il importe de faire le point sur les conflits ouverts ou cachés vécus au travail ou dans la vie personnelle car ceux-ci contribuent à miner notre énergie. Il ne faut pas nécessairement attendre d'avoir toutes les réponses et toutes les certitudes pour choisir une chaise. Éviter de prendre position peut être une façon de faire perdurer le conflit. Malgré le fait que nous ayons peur ou malgré notre insécurité personnelle, nous devons tout de même nous fixer.

Marie-France a peur de ne pas savoir comment réagir face au chantage affectif de sa belle-mère et elle craint d'être moins appréciée. Telle autre infirmière peut avoir peur de souligner les fautes d'une collègue car elle ne saurait pas comment réagir devant sa colère. Elle peut aussi craindre d'être rejetée du groupe. Une autre peut avoir peur de rompre avec son ami de cœur par crainte de le blesser et de se sentir coupable. Dans tous ces cas, nous croyons pouvoir éviter un stress intense mais, en réalité, nous tolérons un stress subtil et insidieux. La réflexion sur le conflit est parfois assez confrontante car elle place face à la difficulté personnelle de faire des choix ou d'assumer nos besoins sans culpabilité. Il importe cependant de le faire car les conflits minent les énergies et la santé.

4. S'entourer de « gens positifs et de belles choses »

C. Simonton, S.M. Simonton et J. Creighton dans une recherche menée sur les stratégies des personnes qui avaient survécu à un cancer ont constaté que ces personnes présentaient un certain nombre de points en commun. Elles avaient toutes effectué un certain nombre de changements dans leur vie, et, fait surprenant, ces changements correspondaient en grande partie aux principes déjà énoncés antérieurement par Lowen. Ces personnes s'étaient davantage préoccupées de leur corps et avaient commencé à pratiquer une activité physique : relaxation, yoga, course à pied, etc. (*respirer*). Elles s'étaient découvertes une passion dans laquelle elles s'investissaient à fond (*s'exprimer*). Et puisqu'elles n'avaient plus rien à perdre elles avaient choisi de «faire le ménage dans leurs relations». Concrètement, elles avaient solutionné certains conflits et avaient mis certaines personnes négatives à l'écart de leur vie (*solutionner ses conflits et s'entourer de gens positifs*).

Faut-il attendre d'être dans des situations extrêmes pour mettre un terme à des relations conflictuelles ou pour quitter des situations énergivores ? Cela fait réfléchir de réaliser que la maladie puisse venir légitimer le fait de protéger la santé et les énergies et qu'elle puisse agir comme une permission thérapeutique permettant de réaliser les rêves les plus chers tout en facilitant d'une certaine manière la prise en charge de sa vie. Dans un objectif de protection des énergies, il importe de s'arrêter pour évaluer l'environnement psychosocial et esthétique qui constitue notre cadre de vie. Évidemment, il est plus facile de faire une coupure avec les collègues ou avec ses proches lorsque nous n'avons «plus rien à perdre». Sans attendre les situations extrêmes toutefois, est-il possible par exemple de se protéger des personnes négatives et de leurs critiques incessantes?

Les personnes positives sont celles qui nous stimulent, qui sont vivantes et en harmonie avec leur environnement psychosocial. Ce sont des personnes qui ont développé le réflexe d'entrevoir les solutions possibles plutôt que d'envisager en premier lieu les obstacles pouvant contrecarrer leurs plans. Pour utiliser un cliché, les personnes positives voient le verre à moitié plein plutôt que le verre à moitié vide. À l'encontre de ces dernières, les personnes négatives ont toujours à redire, elles ne sont jamais satisfaites. Quoi que vous fassiez, elles vous font sentir incompétente ou nulle et elles ont tendance à manipuler par le poids de leur humeur ou de leur malheur perpétuel. Les personnes négatives ont tendance à se complaire et à ressasser leur passé douloureux. Ces attitudes sont extrêmement énergivores et il faut s'en protéger.

Que pouvons-nous faire pour éviter les critiques démoralisantes, les discussions inutiles et démobilisantes? Que pouvons-nous faire pour éviter les situations de défoulement collectif dans notre milieu de travail? Que pouvons-nous faire pour nous prémunir contre une collègue qui critique pour tout et pour rien et qui semble venir travailler contre son gré? Que dire de notre état énergétique et émotif à la suite d'un échange particulièrement virulent où il est question d'un patron exigeant ou d'une collègue qui nous pompe l'air ou nous tombe littéralement sur les nerfs ? Ces triangulations sont très coûteuses au plan de l'énergie car elles nous laissent avec un certain sentiment de malaise sinon de culpabilité. Ce n'est pas en entretenant ce modèle de communication que les choses vont changer. Ce type d'échanges est stérile et nous éloigne de l'environnement esthétique et de la sérénité que nous recherchons et, qui plus est, cela n'apporte aucune solution concrète.

Les instigateurs de ces critiques de couloir ont souvent beaucoup de pouvoir sur la santé énergétique du groupe de travail. Ils nous prennent en quelque sorte en otage de leur discours et il nous est parfois difficile de nous affirmer auprès d'eux car nous avons peur d'être mises à l'écart du groupe. Lorsque la triangulation est érigée en système de communication, l'atmosphère est très malsaine et il est difficile de se sentir à l'aise dans un tel contexte de travail. Les gens ont besoin de savoir comment réagir dans de telles situations. Curieusement, nous avons tous plus ou moins le réflexe de protéger l'interlocuteur «négatif» et il nous semble difficile de le confronter ou de l'amener à réaliser qu'il absorbe nos énergies. En effet, les personnes négatives ont souvent du pouvoir dans l'équipe et les confronter risque de développer de l'ostracisme. Comment courir la chance d'en subir les effets ?

S'il est impossible d'exprimer le malaise ou le désaccord que nous vivons devant la critique stérile nous pouvons tout au moins choisir de nous en éloigner. Cela peut se faire de toutes sortes de manières, soit en prenant les pauses à des heures différentes, sortir prendre l'air à l'heure du déjeuner ou écourter notre présence lorsque «nos oreilles sont prises en otage». Devant ces changements d'attitude, les personnes les plus négatives s'éloigneront peut-être d'elles-mêmes. Vous pouvez aussi choisir de vous rapprocher de ceux et celles qui, comme vous, craignent les effets du négativisme. Sans entrer dans toutes les voies possibles de réactions et d'interventions, nous vous suggérons d'une part de ne pas minimiser l'impact de ce comportement et de choisir tous les moyens possibles afin de vous en protéger.

Dans le but de mieux protéger les énergies, il est préférable de s'associer à des collègues qui sont positifs dans leurs jugements, leurs idées et leurs actions. En effet, être positif ne signifie pas qu'il faille entériner toutes les décisions et les modes de fonctionnement de l'organisation. Être positif suggère de porter un regard sur ce qui est individuellement et collectivement possible de changer dans l'organisation tout en croyant à la possibilité de faire bouger les choses et de se garder du pouvoir et des marges de manœuvre dans une situation.

La deuxième partie de l'énoncé du principe de Lowen suggère de s'entourer de belles choses. Cela se réfère à toutes sortes d'éléments et d'événements favorisant la paix intérieure. Il peut s'agir de conversations, de personnes, de situations, d'éléments de la nature, d'objets et pourquoi pas de beaux vêtements? En d'autres termes, Lowen nous invite à nous placer en situation d'harmonie. N'est-il pas agréable de se «sentir au clair» ou en accord avec nous-même et avec les autres, tout en étant en lien avec nos principes esthétiques ? *A contrario*, lorsque nous sommes en disharmonie, n'avons-nous pas du mal à nous regarder dans une glace par exemple? Pour conclure, nous vous suggérons de prendre le mot «positif» dans le sens de l'harmonie, de la concordance, de la beauté et du sentiment de plénitude.

Les quatre principes de Lowen sont des points de repère fort utiles dans une démarche de changement. Ce sont des principes préventifs à mettre en œuvre tout au long de sa vie. Il s'agit d'un idéal à poursuivre tant pour se prémunir contre l'épuisement que pour améliorer notre qualité de vie. Que ce soit dans la vie personnelle ou professionnelle, si l'état de lassitude se prolonge reportez-vous aux principes de Lowen et voyez où cela achoppe et ce qu'il vous est possible de rectifier avant de glisser vers l'épuisement énergétique.

C. Résumé du chapitre

Le premier principe de Lowen concerne la respiration. Pour récupérer notre énergie nous devons oxygéner davantage notre système mais nous devons aussi adopter un rythme de vie et de travail qui nous permette de respirer au sens propre comme au sens figuré du terme.

Le second principe nous conseille de nous exprimer. Ce principe concerne aussi bien l'expression thérapeutique des émotions qui bloquent notre circulation énergétique que l'expression artistique qui est une forme importante de réénergisation.

Le troisième principe nous enjoint de régler nos conflits pour arrêter les fuites d'énergie. Les conflits peuvent être intrapersonnels ou interpersonnels et mettent généralement en opposition des valeurs qui sont toutes deux importantes pour la personne.

Le quatrième principe suggère que l'on s'entoure de gens positifs c'est-à-dire de personnes qui nous aident à mobiliser nos capacités et notre pouvoir personnel dans la vie. Puis Lowen attire notre attention sur le fait que les belles choses peuvent nous stimuler et nous donner de l'énergie. En parlant de belles choses, Lowen pense à des lieux ou à des situations où nous sommes en harmonie avec nous-même.

Un travail sur les pensées positives doit être mené. Apprendre à évoquer des images ou des pensées abstraites, les susciter, les chasser, faire le vide est un outil précieux et libérateur. La maîtrise des images mentales est une des conditions nécessaires pour permettre à l'imagination et à la créativité de trouver en nous espace et durée. Cette pratique va nous permettre éventuellement de croire que le changement est possible. Tel sera le sujet du prochain chapitre.

D. Références utiles

Assagioli (R.A.), *Psychosynthèse*, ÉPI, Paris, 1976.

Filliozat (I.), *L'Alchimie du bonheur*, Dervy, *s.l.*, 1992.

Goleman (D.), *L'Intelligence émotionnelle*, Laffont, Paris, 1997.

Lowen (A.), *La Bioénergie*, Le Jour, Montréal, rééd. Tchou, Paris, 1975.

McMenna (J.), *Rompre avec les tabous. Comment acquérir les permissions qui nous libéreront des interdits de l'enfance*, Interéditions, *s.l.*, 1992.

Simonton (C.), Simonton (S.M.) et Creighton (J.), *Guérir envers et contre tous*, ÉPI, Paris, 1982.

Sirim, *Alors survint la maladie. La vie quotidienne vue à la lumière du fonctionnement du cerveau*, Empirika Boréal Express, Montréal, 1983.

Chapitre 7

LE CHANGEMENT

Il est relativement facile d'accepter l'idée que faire des choix est toujours possible. Les principes mis en avant par Alexander Lowen peuvent également être acceptés d'emblée car il s'agit d'une approche qui se réfère tout compte fait au « gros bons sens ». Mais entre ces prises de conscience et la prévention effective de l'épuisement il faudra, il va sans dire, changer concrètement des choses dans nos vies. Nous sommes tous et toutes pleines de bonnes intentions quant à la protection de notre santé et, à cet effet, ne vous arrive-t-il pas de prendre de bonnes résolutions ? Vous allez cesser de fumer, vous alimenter mieux, faire plus d'exercice ou prendre soin de vous. Mais combien de ces projets sont restés lettre morte ? Projeter des changements, les initier et surtout les maintenir n'est certainement pas une chose facile, il importe de le dire.

A. Les conditions propices au changement

1. Petits changements

Ce qui semble le plus efficace ce sont les petits changements reliés aux activités de la vie quotidienne car ce genre de changements ne demande pas trop de réorganisation. Par exemple Lucie, Marie-France ou Anne-Lise ont toutes trois commencé, à petits pas, à faire des changements dans leur vie. Lucie prend le temps de s'arrêter plus souvent pour respirer consciemment, Marie-France s'est achetée un chien et elle sort régulièrement pour le faire gambader dans la nature. Anne-Lise quant à elle a recommencé à danser. Il s'agit là de bien petits changements n'est-ce pas ? Finalement, ce sont ces types de changements qui se sont avérés les plus réalisables et ce sont ceux-là mêmes qu'il est possible de maintenir semble-t-il. Écoutons maintenant Sophie :

« J'avais toujours été une personne très active. Mes parents auraient sans doute dit que j'étais une enfant hyperactive ! Mais depuis deux ans je menais ma vie à un train d'enfer sans vraiment m'en apercevoir. En fait j'aimais tout et je m'embarquais dans tout ce qui avait de l'intérêt pour moi. J'avais le sentiment qu'il ne fallait pas perdre un seul instant de cette vie si précieuse et si courte.

J'avais un enfant de 2 ans et j'étais enceinte du second. Je travaillais de jour à l'urgence d'un grand hôpital et mon travail me passionnait. Afin de me sentir plus compétente dans ma relation avec certains malades, j'avais commencé à suivre le soir un certificat en santé mentale. Je n'avais pas une minute de répit mais cela me semblait normal. J'étais une femme si organisée que je réussissais à tout faire selon mon niveau d'exigence. Je visais la perfection !

Mon conjoint me secondait bien dans ce que je considérais comme ma responsabilité familiale. Il allait chercher le petit chez la gardienne après son travail et il faisait les courses. Il s'en occupait les soirs où j'avais des cours ou quand j'étudiais. Je n'avais pas vraiment remarqué que cette situation ne lui convenait pas. Notre couple, de mon point de vue, n'allait pas si mal, mais j'ai découvert avec le temps que le plaisir, le rire et la complicité étaient absents depuis longtemps de notre vie conjugale. Mon mari trouvait que je n'étais plus la même et que j'étais nerveuse et exigeante. Je critiquais sans cesse sa façon de faire les choses, son manque de minutie et de rigueur ainsi que sa permissivité avec le petit. Je n'avais plus de présence pour lui et pour notre fils. Mais en avais-je seulement pour moi ?

Ma mère me disait que je devais faire des concessions et changer des choses dans ma vie. Elle me trouvait exigeante par rapport à mon mari et craignait qu'il se lasse. Elle avait peur pour moi. Toutefois, ces remarques me mettaient en colère et je les attribuais à notre différence de génération. De plus, ma meilleure amie commençait à s'inquiéter pour ma santé et elle m'enjoignait de changer. Devant tous ces conseils, je ressentais de l'agacement et du découragement ! Elles ne comprenaient rien ! Allais-je devoir renoncer à tout ce qui donnait un sens à ma vie ? Mon travail me comblait, je m'y sentais utile. Le professionnalisme que je m'efforçais de développer était de la plus haute importance pour moi. Mon mari n'avait pas un travail plus exigeant que le mien ! Pourquoi aurait-il fallu que ce soit moi qui change ? Après tout, il est normal de partager les tâches, il n'avait qu'à me donner un coup de main à la maison.

De toute évidence, je prenais leurs remarques pour de la critique alors je n'entendais pas vraiment ce qu'ils me disaient parce que j'avais peur. En fait, mon entourage ne me demandait pas de laisser tomber ce qui avait de l'importance pour moi. Personne ne me demandait de faire des changements spectaculaires ou de changer de cadre de vie. C'est cette peur de faire des changements qui m'a fait rester sur mes positions et qui m'a empêchée de commencer à réfléchir à ma façon de gérer mes énergies. Cela m'a empêchée de faire les petits changements qui s'imposaient véritablement et qui auraient pu éviter l'épuisement. Au cours de la démarche de réflexion en groupe de thérapie, j'ai surtout compris que j'avais très peur de modifier l'image que j'avais de moi. Finalement, je m'aime bien en femme hyperactive et efficace et j'aime aussi le regard de l'autre par rapport à cet aspect de moi, ainsi je me sentais angoissée en imaginant que les autres ne m'apprécieraient plus ou, pire, me désapprouveraient. Cette peur était si importante que j'ai dû me rendre jusqu'à l'épuisement pour comprendre que je n'avais pas les moyens énergétiques pour continuer ma vie à ce rythme-là. »

2. Avoir de l'énergie

Pour changer, il faut avoir de l'énergie ! Tout comme Sophie, les gens épuisés sont en faillite énergétique et plus rien ne fonctionne. Les problèmes d'attention et de concentration notamment les empêchent d'analyser clairement leur situation et forcément ils ne sont pas en mesure de faire des choix. Dans ces circonstances, le changement est perçu comme un poids et une corvée supplémentaire. Il est inutile sinon très culpabilisant pour elles de se faire inciter au changement lorsqu'elles sont dans la désorganisation à cause d'un état de lassitude très avancé ou d'épuisement.

Les gestionnaires de service qui ont sous leur responsabilité plusieurs soignants en voie d'épuisement sont souvent étonnées devant la résistance au changement de ces personnes. Pleins de bonne volonté, ces gestionnaires veulent apporter des correctifs, réorganiser le travail et discuter des problèmes. Mais ils se heurtent souvent à des mécanismes de défense qu'ils ont tendance à qualifier d'indifférence ou de désengagement. En réalité les personnes en voie d'épuisement n'ont pas d'énergie à investir dans le changement. Toute leur énergie va au simple maintien de leur fonctionnement quotidien et tout surplus les déstabilise.

B. Les obstacles au changement

1. Les croyances

Dans l'étude du comportement humain, l'approche cognitive s'articule autour du concept de croyance. Les tenants de l'approche cognitive tentent d'amener le client à identifier les croyances qui sont à l'origine des comportements et tout particulièrement on tente de faire identifier les croyances qui permettent d'expliquer les résistances au changement. Dans cette approche, la croyance est définie comme une idée préconçue issue d'une expérience passée, laquelle idée est généralisée par anticipation à toutes les expériences similaires qui se présentent subséquemment dans la vie personnelle ou professionnelle d'un individu. Les croyances peuvent être utiles ou nuisibles, mais habituellement, lorsqu'on parle de croyances nous nous référons surtout à celles qui sont nuisibles. Elles sont qualifiées de nuisibles surtout lorsqu'elles font obstacle aux changements nécessaires à mettre en place pour une bonne gestion du capital santé.

Par exemple, certaines infirmières peuvent avoir développé la croyance que les changements organisationnels sont infructueux. D'autres, ayant subi de nombreux changements soit de patrons, de structures ou de fonctionnement sans que cela n'ait donné les résultats escomptés, peuvent être particulièrement sceptiques devant les propositions de changement venant de la structure de soins, ou peuvent croire difficilement que les changements proposés peuvent donner de bons résultats ou qu'ils vont faciliter leur travail. Plusieurs infirmières échaudées par toutes sortes de remaniements administratifs voient monter leur anxiété à la moindre évocation d'une possibilité de changement de routine par exemple. En fait, elles ont acquis la croyance que les changements sont inutiles et qu'en plus d'être coûteux en énergie, ils ne vont rien apporter de bon. Cette résistance au changement peut aussi témoigner d'un besoin de se protéger ou de ménager ses énergies. Dans certains milieux hospitaliers, nous avons pu observer une très grande démotivation face à tout changement qui était présenté par la direction. Il a fallu réinstaller un climat de confiance avant que les infirmières acceptent d'évaluer toute nouvelle proposition qui leur était faite. Elles en étaient venues à tout prendre de travers, le bon comme le mauvais. Leurs croyances les avaient placées en position de totale fermeture.

Enfin, certaines résistances au changement peuvent aussi s'expliquer par des croyances se rapportant davantage à l'individu qu'à l'organisation. En effet, certaines infirmières ont peu confiance en leur capacité d'actualiser des changements ou en leur capacité de réussir là où elles ont pu échouer par le passé. Vous pouvez avoir développé la croyance que le changement est trop difficile et qu'il ne vaut rien pour vous. La perception que vous avez de vous-même et de vos capacités d'adaptation explique pour une large part votre capacité ou votre difficulté à accueillir et à maîtriser le changement.

Les croyances que vous entretenez à l'égard de vous-même peuvent également vous être nuisibles. Si vous croyez que personne ne vous écoute ou que vos besoins ne sont pas importants pour les autres vous éprouverez certainement quelques difficultés à faire une demande précise de congé à votre supérieur immédiat. Et si de surcroît vous pensez que tous les cadres infirmiers sont froids et insensibles vous aurez sans doute des attitudes de victime. En outre, si vous avez la croyance que vous n'avez pas d'habileté à vous exprimer ou à convaincre les autres, votre négociation va s'en ressentir. Dans ce cas, il y a de fortes chances pour que vous essuyiez un refus et ainsi que vous confirmiez vos croyances. Vous oublierez alors de réfléchir au fait que vos croyances sont à l'origine de vos attitudes et que ces dernières influencent pour une large part le comportement que les autres ont à votre égard.

De toute évidence, certaines croyances sont nuisibles. En voici quelques exemples : «Je ne pourrai pas le faire», «je ne réussirai pas à la convaincre», «plus ça change plus c'est pareil», «c'est trop difficile pour moi», «c'est trop beau, cela ne durera pas», «les autres ne m'appuieront pas», «ils sont tous comme ça», «il ne voudra jamais accepter», «je n'aurai pas assez de volonté pour persister dans mes changements». À l'encontre de ces dernières, d'autres croyances peuvent être quant à elles fort utiles en ce sens qu'elles facilitent la mise en place du changement souhaité. Certaines personnes croient qu'elles auront «toujours de la chance» ou qu'elles «sont nées sous une bonne étoile» ou qu'il est «toujours possible d'apprendre de ses erreurs».

Exercice

Les croyances relatives au changement

Pensez à un changement que vous avez déjà tenté d'implanter avec plus ou moins de succès dans votre vie personnelle ou professionnelle et revoyez-vous avant la mise en place de ce changement.

Que vous êtes-vous dit intérieurement par rapport :

- à vos capacités personnelles de réussir ce changement ?;
- au succès du changement prévu ?;
- aux réactions que vous anticipiez de la part des autres personnes concernées par ce changement ?

Pensez-vous que vos croyances (idées, images) ont eu une influence sur les résultats du changement que vous avez voulu implanter ?

Pensez-vous que les opinions des autres ont eu une influence sur les résultats du changement que vous avez voulu implanter ?

Note : adopter des croyances positives par rapport à vos capacités de changer et face à la possibilité d'obtenir du soutien de votre entourage constitue un premier pas vers le changement. Le deuxième pas consiste à adopter des attitudes réalistes par rapport aux changements à réaliser.

2. Les objectifs et stratégies

Il ne s'agit pas d'envisager des changements majeurs qui risquent de susciter une peur paralysante. Au contraire, il importe d'envisager une série de petits changements. Les personnes en voie d'épuisement doivent faire une économie d'énergie puisqu'elles n'ont pas l'énergie nécessaire pour envisager de grands changements. De plus, ces petits changements ne doivent pas se faire à tort et à travers mais s'orienter vers un objectif précis et cela en vue de canaliser les énergies.

Même si Sophie veut choisir comme objectif d'améliorer sa vie de couple et qu'elle vise l'harmonie et la satisfaction, elle devra penser à instaurer de tout petits changements tant pour respecter son énergie que pour éviter de tomber à nouveau dans sa tendance naturelle à vouloir tout mener de front. Si elle veut être plus détendue et reposée, elle devra faire ses choix en conséquence. Elle pourrait réduire le nombre de cours qu'elle suit et revoir ses échéances. Elle pourrait engager une aide-ménagère ou être moins exigeante quant à l'ordre dans la maison et ainsi respecter sa valeur « santé ». Pour éviter de se sentir coupable de ne pas consacrer plus de temps à son fils et à son conjoint, elle pourrait mettre en action sa valeur « famille » en jouant avec son enfant avant de préparer le repas du soir et prendre l'apéro avec son conjoint. Elle pourrait également acheter des plats cuisinés. Bref, la liste des changements possibles est infinie. Sophie devra cependant rester en lien avec ses besoins, sa personnalité et son système de valeurs avant de changer ses habitudes de vie. Il importe de privilégier les changements qui pacifient, apaisent et vivifient, surtout ceux qui vont dans le sens de la souplesse et du plaisir.

Quand avez-vous vraiment ri à en avoir les larmes aux yeux? Quand vous êtes-vous sentie particulièrement relaxée et revigorée? Quelle est la dernière «grosse folie» que vous vous êtes permise? Pour vous aider à identifier les changements que vous voulez apporter dans votre vie, repensez à toutes ces situations. Revenez au thème du choix et repensez à la grille : choix du cadre et choix dans le cadre. Si cet exercice soulève chez vous de la résistance et une tendance à utiliser l'expression «oui... mais», il sera peut-être nécessaire de revenir aux thèmes précédents portant sur la culpabilité ou sur les besoins et les droits. Vous pouvez également revenir à votre échelle de valeurs et vous demander si votre valeur « santé » guide vos nouveaux choix.

C. Les résistances

Bien qu'il ne soit pas nécessairement facile de mettre en place les changements souhaités, cela devient possible dans la mesure où les résistances sont mieux identifiées. Les principales résistances au changement viennent entre autres de la fatigue et du manque d'énergie. Ne demandez pas à une personne épuisée de changer car instinctivement elle refusera les propositions qui lui sembleront coûteuses en énergie et cela même si elle peut comprendre qu'elle irait vers un mieux-être ! Permettez-lui d'abord de récupérer son énergie et aidez-la en ce sens, en lui fournissant des pistes concrètes tels les principes de Lowen par exemple. Rappelons que, par définition, les personnes épuisées n'ont plus d'énergie. Comme le dit si bien le Dr Alexander Lowen, il est donc logique que nous acceptions, en tant qu'intervenant, de les aider en les guidant du moins pour un certain temps. L'approche cognitive semble plus sécurisante parce que les exercices proposés servent de balise à la réflexion tout en permettant éventuellement une remise en question.

Les croyances relatives au changement font également obstacle à ces derniers. On les dit alors croyances limitatives parce qu'elles bloquent toute initiative face aux changements à faire. Prendre conscience de ses croyances et choisir consciemment de les modifier facilite la mise en disposition et l'ouverture face aux changements à faire en vue de protéger la santé et les énergies. Une des croyances limitatives les plus répandues est celle qui consiste à croire qu'il n'est pas facile de changer. Bon nombre de personnes croient également que les comportements qui datent sont encore plus difficiles à déloger . D'autres croient encore que le changement n'est pas possible parce que les attitudes ou les habitudes relèvent du tempérament ou de la nature profonde et que cela ne se change pas. En guise de réflexion, nous citerons ici une réponse offerte, dans une forme interrogative, par les tenants de la thérapie cognitive, à savoir : une pierre ayant séjourné dans l'eau pendant plus de mille ans va-t-elle prendre plus de temps à sécher au soleil qu'une pierre qui y a séjourné pendant quelques mois seulement? Les petits malins répondront que cela dépend de la porosité de la pierre mais à vous de juger!

L'ampleur des changements envisagés peut également susciter beaucoup de craintes. La peur du risque, la peur de se tromper, de déranger, de déplaire ou d'être rejeté soulève également beaucoup de résistances. Il importe d'envisager une certaine préparation face aux changements. Accepter par exemple de déranger les habitudes des autres va être un préalable nécessaire à la mise en place du changement. Car, effectivement, changer dérange. Envisager une certaine gradation dans la mise en place des changements ou se permettre une série de petits changements peut aider à vaincre la peur du changement. Il s'agit de changer sans nécessairement tout bouleverser. Finalement, le fait de faire savoir que l'objectif des changements est le mieux-être va légitimer les changements initiés et permettre éventuellement aux autres de mieux les accepter. Il ne s'agit pas de changer pour changer mais de changer pour être plus en forme. En se recentrant sur l'objectif du changement, les solutions envisagées soulèveront sans doute moins de résistance surtout s'il y a respect du rythme de chacune des parties impliquées.

Quoi qu'il en soit, il peut arriver que des changements plus importants doivent être envisagés et qu'ils s'imposent sans qu'un temps d'acclimatation puisse être possible. Nous pensons à un changement d'emploi ou de carrière par exemple. La peur de se tromper ou de décevoir l'entourage va sans doute soulever des résistances bien légitimes. Pour éviter de faillir face aux reproches ou aux jugements de l'entourage qui peut privilégier la stabilité, la sécurité ou la fidélité à un employeur par exemple, nous vous suggérons de rester en lien avec votre objectif santé et de vous protéger éventuellement contre la culpabilisation en vous reportant à la grille JE, TU, CONTEXTE. Il se peut que votre nouvel emploi ne corresponde pas à vos attentes et que vous soyez déçue. Soyez prête à accepter de vous priver de la compassion dont vous auriez sans doute besoin. Et sachez prévoir que l'entourage pourra éventuellement vous dire des phrases telles que : «Je te l'avais bien dit», «tu aurais dû m'écouter», etc. Souvenez-vous toutefois que vous avez pris un risque avec un objectif santé, que vous ne pouviez tout prévoir. Tentez de tirer des conclusions positives de l'expérience et soyez tendre avec vous-même. En faisant un changement qui correspond à ce que vous êtes réellement, un changement qui respecte votre énergie et qui va dans le sens de votre santé, vous ne pouvez vous tromper.

Dans le cas de figure où des demandes de changements doivent être faites, il importe d'être le plus spécifique possible afin de permettre à la personne, à qui ces demandes sont adressées, de pouvoir s'y retrouver. En effet, la spécificité des demandes permet à la personne de se situer face à la demande et il lui est plus facile d'évaluer ses possibilités de changements et ce qu'il lui faut mettre en œuvre pour y arriver. Dans notre pratique, nous avons réalisé que les demandes de changements soulevaient beaucoup d'anxiété surtout lorsque ces dernières semblaient trop globales ou étaient formulées de façon à laisser entendre que tout ce qui était fait était incorrect. Ainsi, les : « Il faut que ça change sinon nous devrons vous licencier » ou « changez d'humeur sinon... », ou encore « vous faites tout de travers » ou « si les choses ne changent pas nous devrons vous placer en institution » ou « nous devrons vous rétrograder » ou « si tu ne changes pas je vais te quitter » placent la personne sur un pied d'alerte mais cela la laisse en suspens quant à l'orientation à prendre. Il importe de préciser ce que vous attendez quant au changement escompté. En fait, souhaitez-vous que votre collègue arrive à l'heure, souhaitez-vous qu'elle soit moins perfectionniste, moins tatillonne, plus dynamique, plus empressée ou plus ferme ? Vous aurez beaucoup plus de chances d'atteindre vos buts en précisant vos attentes.

Tout en ayant les objectifs les plus louables, le risque d'être critiqué est toujours possible parce que tout changement, si minime soit-il, oblige l'autre à un réaménagement qu'il n'avait pas forcément souhaité ce qui l'entraîne à réagir parfois fortement. Se préparer à y répondre en ayant en tête des phrases clefs à servir à l'interlocuteur le cas échéant fait preuve de sécurité personnelle et de maturité et permet de rester digne face aux reproches et aux pressions des autres. Cela demande, il va sans dire, une bonne estime de soi et un certain courage, mais votre vie a une valeur donc vos énergies ont une valeur.

En guise de conclusion à ce chapitre, nous vous suggérons de porter une attention toute particulière à cette maxime : « Je suis surtout responsable de moi, parfois des autres, pour certaines choses et pour un certain temps ».

Exercice

Comment pourrez-vous être responsable des autres si vous n'avez plus d'énergie ? Quelles sont les exigences que les autres vous mettent réellement ?

Quelles sont celles que vous vous mettez par rapport aux autres ?

Les autres sont-ils réellement des personnes à charge ou vous en faites-vous une charge ?

Note : nous vous suggérons de faire cet exercice toutes les fois où vous commencerez à éprouver de la lassitude afin d'éviter de vous rendre jusqu'à l'épuisement.

D. Résumé du chapitre

Changer, c'est passer du choix (idée) à l'action concrète. Le changement peut être difficile à réaliser car il suscite beaucoup de craintes et de résistances.

Comme préalables au changement, il importe de croire que le changement est possible et que nous avons la capacité et les ressources pour le mettre en œuvre. Nous devons accepter de prendre des risques et nous donner le droit à l'erreur à travers notre recherche d'équilibre. Finalement il faut parfois accepter de remettre en question l'image que nous avons de nous et surtout celle que nous projetons aux autres en ce sens que nous ne sommes pas des « surfemmes » ou des surhommes. Le changement nous amènera à développer une image plus réaliste de nos possibilités et à respecter nos limites. L'actualisation de ce savoir passera par l'action du changement. Le changement sera facilité par la pratique de la pensée positive.

Changer ne signifie pas tout bousculer. Cela peut signifier qu'il faille introduire de petits changements au quotidien. Briser la routine en habituant par exemple les autres au fait que nous avons aussi des besoins peut être assez bénéfique pour la santé et pour le moral. Il est essentiel de privilégier les changements qui pacifient, apaisent, et vont dans le sens d'un mieux-être énergétique. Tous les changements initiés découlent en fait de la modification d'attitude par rapport à nous-même et par rapport à notre santé.

Il arrive que des changements plus drastiques doivent être envisagés et à ce sujet il importe de se prémunir contre les comportements de manipulation et de culpabilisation, et de garder dignité et respect de soi.

REPÈRES THÉORIQUES

LES CROYANCES IRRATIONNELLES

Ellis, père de la thérapie rationnelle émotive, fonde son approche sur le principe d'Épictète, à savoir que ce ne sont pas les événements qui nous perturbent mais la perception irrationnelle que nous en avons. Ellis a donc étudié les systèmes de croyances irrationnels qui donnent lieu à des pensées, des émotions négatives et des comportements défaitistes, et développé une approche thérapeutique qui permet de corriger le système de croyance irrationnel du patient.

Il a ainsi mis en évidence dix croyances irrationnelles principales qui empoisonnent la vie de nombreuses personnes :

1. Vous devez être aimé et approuvé en tout et toujours par tout le monde.
2. Vous devez avoir du talent et être capable de vous réaliser dans quelque chose d'important.
3. La vie est une catastrophe si les choses ne vont pas comme vous le voulez.
4. Ceux qui vous font du mal sont mauvais et doivent être blâmés.
5. Si quelque chose est menaçant, vous devez en être préoccupé et bouleversé.
6. Vous devez trouver des solutions pour rendre la vie meilleure.
7. La misère intérieure et émotionnelle vient de pressions extérieures, et vous avez peu de possibilités de contrôler vos sentiments et de vous débarrasser de la dépression et de l'hostilité.
8. Il est plus aisé d'éviter d'affronter les difficultés de l'existence que d'entreprendre des activités plus fructueuses de maîtrise de soi.
9. Votre passé a une importance capitale, et parce que quelque chose a influencé autrefois votre vie, il doit continuer à gouverner vos sentiments et votre comportement actuel.
10. Vous pouvez atteindre le bonheur par l'inertie, l'inactivité, ou en vous faisant plaisir passivement et sans vous engager personnellement.

E. Références utiles

Bernier (D.), *La Crise du burn-out*, Stanké, *s.l.,* 1994.
Dyer (W.W.), *Vos zones erronées*, Éditions de Mortagne, Montréal, 1983, rééd. 1985, 1987.
Kourilsky-Belliard (F.), «Du désir au plaisir de changer», in *Comprendre et provoquer le changement*, Interéditions, 1995.
Sirim, *Alors survint la maladie. La vie quotidienne vue à la lumière du fonctionnement du cerveau*, Empirika Boréal Express, Montréal, 1983.

Chapitre 8

LES RÉPERCUSSIONS DU CHANGEMENT DANS LA FAMILLE ET L'ÉQUIPE PROFESSIONNELLE

Il se crée, dans les rapports humains, un certain équilibre entre les attitudes et les comportements des uns et les attitudes et comportements des autres, c'est ce qu'il est convenu d'appeler la dynamique. La dynamique est donc le produit des us et coutumes d'un groupe particulier, qu'il s'agisse d'une société, d'une équipe de travail ou d'une famille. En effet, il se crée dans les équipes de travail tout comme dans les familles une dynamique qui leur est propre et qui devient familière aux membres qui en font partie. Ainsi, tout changement important émanant d'un des membres de la famille ou de l'équipe de travail demande un réajustement de la part des autres membres impliqués, ce qui transforme inévitablement la dynamique du groupe. Ainsi, les reports fréquemment observés des changements souhaités peuvent d'une certaine manière être légitimés ou s'expliquer par les craintes que soulève l'impact pressenti d'un changement de dynamique.

En somme, il y a toujours une dynamique qui s'installe à partir des rôles joués par chacun des membres d'un groupe. Chaque membre d'une famille ou d'une équipe de travail a un rôle qui lui est propre et le rôle constitue incontestablement un déterminant dans les modèles relationnels entretenus avec les membres de l'entourage immédiat. Il importe de le rappeler, les rôles sont très fortement marqués par les influences sociales et culturelles d'une communauté ethnique ou d'un milieu et ils sont presque toujours attribués très tôt dans l'enfance. Souvent appris par imitation de la personne à laquelle on s'identifie, ils sont également ancrés par les demandes qui sont faites à l'enfant d'être par exemple plus raisonnable, de donner l'exemple, d'être serviable, de ne pas être égoïste, de s'occuper de ses frères et sœurs, d'être le bâton de vieillesse, etc. Le rôle fait donc partie intégrante de l'identité et il donne *de facto* une direction aux comportements de même qu'il détermine la façon propre de s'investir en relation.

C'est Éric Berne qui introduisit l'idée de transaction pour illustrer les jeux humains complémentaires. Cette connaissance de la complémentarité des rôles va nous permettre de mieux comprendre l'impact de nos changements de rôle. Il semble en effet que les rôles vont souvent de pairs et se complètent tels les rôles mère-enfant, les rôles épouse-époux, de grande sœur-petite sœur, de vendeur-acheteur, de Victime-Sauveteur, etc. C'est la complémentarité des rôles qui explique la difficulté de changer. En effet, le vis-à-vis relationnel n'aime pas nécessairement que l'on change de rôle. La personne qui bénéficie ou profite du rôle de Sauveteur par exemple, perdra beaucoup ses bénéfices si le Sauveteur quitte son rôle. Par exemple dans une famille, si la mère cesse de tout prévoir pour les uns et les autres ou, dans une équipe de travail, si une infirmière cesse de prendre les responsabilités des autres sur son dos, il s'ensuivra forcément des remaniements au niveau de la prise des responsabilités ou du partage des tâches tout au moins. La prise en compte des besoins personnels risque en effet d'être remarquée parce que cela va entraîner un changement majeur au niveau de la dynamique familiale ou collégiale. Une infirmière se portant toujours volontaire pour des remplacements au pied levé ou pour des changements d'horaire créera sans doute un certain remous si elle décide de prendre une distance quant à cette attitude de toujours répondre prête à l'appel.

Les rôles forment donc la trame des comportements quotidiens. Ils impliquent entre autres le statut, les demandes et les attentes des autres, mais aussi les gratifications et les punitions. Chacun comprend et joue ses différents rôles en fonction de sa propre perception du rôle à tenir et des messages reçus à son égard. En ce sens, croyons-nous, le rôle fait appel à une large part de subjectivité ce qui explique qu'il est souvent joué en fonction des attentes perçues, ce qui donne lieu à bien des insatisfactions surtout quand il n'y a pas de retour. Par exemple, si un donneur suppose être en relation avec un receveur, il peut s'ensuivre une situation d'insatisfaction car le retour attendu ne viendra pas puisque ce présumé receveur n'a en fait rien demandé. Il importe donc de prendre du recul vis-à-vis du rôle reçu afin d'être davantage présent aux situations plutôt que d'entrer dans une situation avec un rôle à jouer à tout prix.

La théorie des rôles a été mise en évidence dans les thérapies familiales afin justement d'aider les individus à reconnaître, grâce à l'identification du rôle reçu, ce qu'ils vivaient au sein de leur famille et pouvoir ainsi mieux cerner ce qu'ils devaient éventuellement changer si le rôle reçu ne convenait plus. Il faut souligner que certains rôles sont plus « énergivores » que d'autres et que la manière de tenir un rôle prédispose également à la protection ou à un déséquilibre dans la gestion des énergies.

A. Changement de rôle et pression

Changer de rôle n'est certes pas une entreprise facile. La dynamique du groupe de travail ou de la famille prend son équilibre dans le fait que chaque membre tient bien son rôle. Et comme nous l'avons déjà mentionné, changer de rôle impose forcément, chez les autres membres du groupe ou de la famille, un remaniement si ce n'est un changement d'attitude ou de comportement. Ainsi, bien que vous souhaitiez voir l'autre changer et bien que le changement envisagé tende vers un mieux-être, il se peut que vous puissiez en être incommodé avant de vous sentir à l'aise avec le nouveau mode de fonctionnement. En raison de la déstabilisation qu'il entraîne, le changement de rôle n'est pas toujours accueilli favorablement par les autres.

Changer sans déranger s'avère être une mission impossible. Par définition, un changement entraînera toujours les autres à se réajuster. Il faut donc être en mesure de bien faire comprendre à l'autre que le changement de rôle entrepris est important et qu'il correspond au besoin bien légitime de protection de la santé. Les pressions venant de l'entourage, suite à un changement de rôle, sont presque inévitables et elles se manifestent de toutes sortes de manières. Les uns diront que vous étiez mieux avant, d'autres tenteront de vous culpabiliser. Dans la mesure du possible, vous vous emploierez à recevoir ces remarques avec humour, tout en disant fermement à vos interlocuteurs que vous n'appréciez pas ces pressions et que rien ne pourra changer votre décision. Toutefois, si les pressions sont sournoises et assidues, il vous faudra dénoncer les manipulations observées. Évidemment, dans la famille les enjeux et les pressions ne s'exprimeront pas de la même manière. Les changements doivent se faire en douceur toutes les fois que cela est possible. Malgré cela, dans le cas où vous pourriez craindre de subir des représailles à votre travail vous aurez peut-être besoin de vous faire guider dans votre démarche de changement en consultant un spécialiste.

Sachez que vous risquez également de subir les changements effectués par les autres. En comprenant mieux les motifs de changement et ce qu'il en coûte parfois de les initier, vous aurez sans doute plus d'empathie et éventuellement plus de délicatesse dans votre manière de formuler vos remarques ou vos objections s'il vous arrivait d'en avoir l'intention. Bien sûr, il est toujours plus facile de valider ses propres changements que d'accueillir ceux des autres. Dans un cas comme dans l'autre, il importe de prendre un temps de recul avant de réagir au changement.

La question des changements d'attitude et de comportement au sein d'une équipe de travail est souvent un sujet épineux. Les uns voudraient bien changer mais ne s'y autorisent pas alors que les autres changent en faisant soi-disant porter le poids de leur changement aux autres membres de l'équipe ou à leur famille. En effet, nous avons constaté que cette remise en question des rôles fait souvent ressurgir les vieilles blessures concernant la répartition des tâches, l'équité, la vaillance, le sens des responsabilités, la maturité, etc. C'est un sujet délicat qu'il convient de traiter avec délicatesse. Poursuivez cette réflexion sur la question des rôles qu'il s'agisse du rôle qui vous a été désigné, de celui que vous jouez ou souhaiteriez jouer. Demandez-vous si ce rôle sert ou dessert votre santé physique et mentale.

1. Le phénomène d'homéostasie

Les changements à faire ne sont pas toujours aussi drastiques que ne l'est le changement de rôle. Il est certain cependant que tout changement a un impact sur la dynamique relationnelle dans laquelle il s'inscrit. Le changement déséquilibre, pourrait-on dire, le système. Ainsi, le groupe va-t-il faire pression sur le membre dissident afin qu'il reprenne sa place, qu'il « fasse comme avant » et « qu'il ne dérange personne ». En bref, le phénomène d'homéostasie est un régulateur de comportement. Il agit à la manière du thermostat qui, recevant le signal de variation de température remet le chauffage en route ou, au contraire, lui commande de cesser de fonctionner. Par exemple, si le thermostat est réglé à 35 °C, que cela soit confortable ou non, le signal sera donné au système de chauffage de se remette en route pour rétablir la température à 35 °C tel que programmé.

Ainsi, selon le phénomène homéostatique, tout changement de comportement est capté par le groupe qui, tel un thermostat, tente de faire pression sur son coéquipier pour qu'il reprenne sa position antérieure et que soit ainsi rétabli l'équilibre du groupe, et cela même s'il s'agissait d'un équilibre plus ou moins sain pour la santé physique et mentale. Lorsqu'un changement s'impose, c'est tout le groupe qui doit revoir ses règles de fonctionnement. Et pour continuer le parallèle avec le chauffage, on doit se fixer, comme groupe, un « degré » plus confortable de comportement qu'il s'agisse du partage des corvées, des remplacements de collègue ou de tout autre aspect régissant la vie du groupe. Dans le cas contraire, le phénomène d'homéostasie risque de ramener le marginal dans « les rangs ». Tout comme le corps humain, les corps médical, professoral, électoral ou autres sont régis par les lois relatives au phénomène d'homéostasie. Il convient donc d'en être informé afin de pouvoir réagir selon l'objectif à atteindre et de définir ce que sera l'équilibre visé.

B. Changement de rôle : quand, où et comment ?

En formation ou en entretien, on nous a souvent posé cette question : quand faut-il changer de rôle ? Nous avons maintes fois observé que les personnes changent de rôle lorsqu'elles sentent qu'elles n'ont plus le choix. Bien sûr, tant qu'il y aura des gains nous ne pensons pas véritablement à changer. Les gratifications que nous avons nous permettent de continuer à tenir notre rôle même s'il est coûteux pour la santé. Pourtant, par souci de prévention, il nous faudrait peut-être réfléchir à notre rôle avant que « la coupe ne déborde ».

À notre avis, nous devrions apprendre, aussi tôt que possible, les rudiments nécessaires à une bonne compréhension de la théorie des rôles. D'abord, nous devrions pouvoir identifier le rôle que nous jouons au sein de notre famille afin de pouvoir réfléchir à l'impact de ce rôle sur notre identité, ainsi qu'au poids qu'il peut exercer au moment de choisir une carrière. Ainsi pourrions-nous faire nos choix en sachant ce qui les motive et ce qui nous y prédispose. Les rôles sont distribués de bien des manières. Ils peuvent être déterminés entre autres par le rang dans la famille, par les circonstances entourant la naissance d'un frère ou d'une sœur par exemple ou par une crise dans le couple. En parlant d'un enfant en terme de relève ou de bâton de vieillesse ou en le comparant plus ou moins subtilement aux autres membres de la fratrie en lui disant qu'il est le plus serviable, le plus gentil ou le plus responsable, ne trace-t-on pas déjà le chemin?

La maladie et les chocs de vie sont souvent des déclencheurs de remise en question du rôle joué. Ces événements douloureux entraînent souvent ceux qui les subissent dans une profonde réflexion qui touche à tous les aspects de leur vie. C'est très souvent dans ces circonstances que nous avons observé les plus riches moments de lucidité et les prises de décisions les plus éloquentes quant au changement de rôle. D'autre part, nous ne pouvons dire qu'il existe un moment idéal pour changer de rôle, mais l'entourage est sans doute plus enclin à accepter ces changements si la personne est malade ou qu'elle vit une épreuve. Certains moments fatidiques de notre vie nous placent devant l'évidence; désarmés, il nous faut alors rapidement réagir: soit s'astreindre à protéger convenablement nos énergies, soit simplement «sauver notre peau».

Les infirmières qui ont fait des changements d'attitudes et de comportements au travail l'ont souvent fait à la suite d'un coup dur. Chantal nous raconta qu'elle était la risée de ses collègues parce qu'elle était trop perfectionniste dans sa manière, par exemple, de rédiger ses dossiers ou par son empressement de répondre aux appels des malades. Elle vivait très mal les remarques de ses collègues et un jour elle craqua. Elle dut malgré elle réviser ses positions et revoir ses motifs d'action ainsi que son rôle dans l'équipe. Il est rare en effet que des changements importants se fassent sans le concours d'événements extérieurs!

Par rapport au «quand» changer, dans un objectif de prévention de l'épuisement, on pourrait se référer à l'idée qu'il existe un processus évolutif composé de phases, comme le soutiennent plusieurs auteurs dont

Edelwich et Brodsky qui pour leur part en proposent quatre. Selon ces auteurs, l'enthousiasme, la stagnation, la frustration et la démoralisation seraient des points de repère dans l'analyse des mécanismes qui conduisent à l'épuisement. Nous ne croyons pas que l'enthousiasme mène automatiquement à l'épuisement sauf bien sûr si la personne enthousiaste ne rationalise pas ses investissements d'énergie et qu'elle est mue par le désir de plaire à tout prix ou par le désir de sauver ou de guérir tous ses patients. On pourrait affirmer ceci en guise de réflexion : plus la personne est enthousiaste plus elle doit être au clair avec ses motivations afin de bien connaître la direction de son énergie. Sinon, effectivement, son enthousiasme risque de la conduire vers les autres phases et vers l'épuisement.

Quant au « où » et au « comment » changer, nous avons constaté que les changements de rôle se faisaient d'abord avec les personnes qui décevaient lourdement les attentes et avec celles qui n'offraient aucune gratitude. Mais nous avons également observé que certaines personnes très peu gratifiées dans leur milieu de travail continuaient à donner sans compter dans ce milieu mais devenaient extrêmement calculatrices et mesquines de leur temps auprès des leurs. Il peut donc arriver qu'une personne « craque » dans son milieu de travail mais qu'elle effectue, en premier lieu, ses changements, au sein de sa famille comme ce fut le cas de Marie-France par exemple. Même si c'est au travail que les nerfs de Marie-France ont lâché, c'est dans sa famille qu'elle a effectué ses premiers changements.

Dans son milieu professionnel, Josée avait dû faire une très grande adaptation lors d'un réaménagement d'effectifs. Elle était passée des soins prolongés de jour à un poste en soins intensifs de nuit. Elle avait perdu du coup les retours affectifs dont la gratifiaient ses malades et elle s'était retrouvée peu de temps après en congé maladie. Incapable de prendre soin d'elle et de subvenir financièrement à son loyer, elle dut retourner vivre chez ses parents. Elle se retrouva donc en plein cœur de la dynamique familiale qu'elle avait tenté de fuir lorsqu'elle partit définitivement pour aller travailler. Vulnérable à souhait, elle redevint la cible facile à manipuler par ce couple non fonctionnel que formaient ses parents. Poussée dans ses derniers retranchements, elle rua dans les brancards et se mit à « nettoyer » son passé. Elle recadra courageusement les choses et abandonna le rôle qui lui avait été octroyé. Elle n'était ni ne serait la femme de son père ni la mère de sa mère, ce qu'elle leur exprima d'ailleurs très clairement. En faisant cela, Josée sentit qu'elle se débarrassait d'un poids énorme qui lui minait ses énergies. Bien qu'elle parlât avec amour et douceur, les réactions émotives furent très intenses et le père de Josée fit même une tentative de suicide. Malgré la lourdeur de l'événement, l'impact fut des plus bénéfiques puisque Josée et son père bénéficièrent d'une aide et d'un suivi thérapeutiques. Il s'agit d'un exemple extrême bien sûr mais la santé doit être le critère qui guide le jugement . Le chantage, la détresse émotionnelle ou la manipulation ne doivent en aucun cas nous éloigner de notre but.

L'infirmière est souvent prise comme personne ressource dans sa famille et elle reçoit un statut particulier du fait de ses connaissances en soins infirmiers. Elle reste tout de même une personne avec ses besoins, ses limites, qui a le droit de vivre sa vie sans être toujours, pour tous et chacun, la personne ressource en cas de crise. Dans la foulée du changement au travail, Josée fut également en mutation dans son rôle au sein de sa famille. Le lieu d'éclatement du conflit intrapersonnel n'est pas forcément le lieu où l'on fait les premiers changements de rôle. Il semble toutefois y avoir une certaine logique séquentielle. Comme le rôle est à l'origine distribué par la famille, il se dénoue souvent dans la famille. Bien que l'expression du rôle soit encouragé par la validation, et bien que les rapports au travail entre collègues s'organisent eux aussi autour du rôle principal, reste que le milieu de travail n'est pas responsable de l'organisation première du rôle ni de son attribution. En revanche, il peut arriver qu'une personne se soit partiellement dégagée de son rôle de Sauveteur au sein de sa famille mais que ce rôle soit encore très actif au sein de l'équipe de travail.

Le lieu où se «dénoue» le rôle peut être assez imprévisible. Alors que les principaux agents de stress identifiés peuvent être les conditions de travail, le conflit peut éclater à la maison ou en famille. Et alors que le conflit de rôle se situe dans la famille, l'événement déclencheur peut se produire au travail. Mais il y a toujours une certaine logique quant au moment et au lieu où éclate le conflit même si cela n'apparaît pas toujours au premier coup d'œil, tant pour la personne qui s'en dégage que pour les personnes qui en ont le contrecoup. Le lieu d'éclatement du conflit n'est pas en soi un indicateur de la cause du malaise. Ainsi, il faut éviter de parler d'épuisement professionnel ou encore d'attribuer la raison du mal-être à une mauvaise gestion de ses affaires personnelles. Il est donc important d'avoir une vision plus globale de l'individu afin de l'aider à faire un bilan de vie qui englobe plusieurs aspects de son existence. L'épuisement est comparable à un tremblement de terre, c'est une épreuve qui amène forcément une reconstruction, sinon un réaménagement de notre manière de vivre.

C. Changement de rôle et identité

Si le changement de rôle s'avère nécessaire pour certains individus, il n'en provoque pas moins un grand bouleversement. Le changement de rôle a un impact sur l'ensemble de la vie relationnelle du sujet qui l'initie car un tel changement touche bien sûr à l'identité. C'est ce qui explique que ce changement se répercute dans tous les secteurs de vie de la personne qui le met en œuvre. Les personnes qui font un changement de rôle ne peuvent le faire à moitié, d'où cette expression de « grand ménage ». Après s'être rétablies d'un épuisement, plusieurs personnes nous ont dit : « J'ai fait le grand ménage dans ma vie et cela a dérangé plusieurs personnes de mon entourage. J'ai même perdu certains amis ou enfin je croyais qu'ils en étaient ».

Les gens qui effectuent ce genre de changements se font souvent dire : « Il n'est pas nécessaire de tout faire en même temps ». Pour les personnes qui traversent ce genre de crises de l'existence, la notion de temps devient de plus en plus importante. Ils n'ont plus de temps à perdre comme ils le disent eux-mêmes. La découverte de la valeur des énergies et de la santé fait souvent naître le réflexe de fermer les vannes du don de soi. De manière générale, les Sauveteurs ne savent pas doser et ils mettent souvent tous leurs œufs dans le même panier. Lorsqu'ils ont peur pour leur équilibre ou leurs énergies, ils réagissent souvent de façon extrême, ils ont de la difficulté à tolérer les abus et ils veulent souvent tout changer en même temps. Il leur faut réapprendre à se découvrir en tant qu'individu, avec des besoins et des limites. Il faut qu'ils prennent le temps de se faire une nouvelle identité tout en se situant différemment face au don de soi et face aux demandes des autres. Le don de soi à outrance engendre forcément la dépendance et il n'est pas facile de rompre avec le rôle de Sauveteur. En connaissant mieux les enjeux reliés au rôle de Sauveteur, il sera possible de se préparer à affronter les réactions. Évidemment, s'il est possible de faire graduellement les changements souhaités, l'impact sera moins lourd à assumer.

1. L'infirmière et son rôle dans la famille

L'infirmière est souvent sollicitée par les autres membres de la famille à tenir le rôle de Sauveteur. Elle peut l'assumer, mais peut aussi vouloir s'en dégager et souhaiter que chacun d'entre eux se responsabilise quant à la réponse à leurs besoins.

Anne-Laure ne faisait jamais de confidences sur sa vie. Pourtant on se confiait facilement à elle. Jusqu'à présent cela ne lui avait jamais causé de problèmes. Elle était discrète et ses frères et sœurs comme ses beaux-frères et belles-sœurs savaient d'instinct qu'ils pouvaient compter sur elle. Elle détenait donc tous les secrets de la famille. Il lui arrivait souvent de penser qu'on se «servait» d'elle et que le fait qu'on lui donnait un statut particulier n'était pas nécessairement très sain. Chacun savait qu'Anne-Laure était au courant de tout. Cette situation devint inconfortable car elle créait une certaine distance entre elle et les autres membres de la famille. Dans la famille comme dans le milieu de travail, il peut être temporairement flatteur d'être la confidente. Cela peut conférer un certain statut. Cependant, s'il arrive que la personne ne soit plus aussi attentive, qu'elle soit moins patiente, ou encore qu'elle «laisse échapper un secret», elle passera alors du rôle de Sauveteur à celui de Persécuteur, ce qui peut lui coûter très cher sur le plan de l'harmonie familiale ou professionnelle.

Comment peut-on changer de rôle sans se brusquer et sans se fragiliser? Comment peut-on changer de rôle tout en se ménageant une place au sein du groupe et de la famille ? Pour bien répondre à cette question il faut connaître le comportement habituel du Sauveteur. Le Sauveteur ne se ménage pas beaucoup de temps pour lui-même ou pour se développer une passion. Comme sa seule passion semble être les autres et les relations humaines, il est utilisé pour ce qui l'intéresse. Les Sauveteurs auront avantage à avoir matière à discussion et des champs d'intérêt diversifiés, afin de pouvoir échanger avec les gens tout en donnant une direction aux échanges. Sortez de l'écoute active à tout prix et développez-vous une passion. Vous aurez alors un bon moyen de détourner la conversation vers un champ d'intérêt qui ne vous placera pas en situation de confidences malvenues.

Tous les Sauveteurs ayant fait un changement de rôle ont tôt ou tard avoué avoir perdu beaucoup de temps, et l'amertume qu'ils ressentent n'est pas toujours facile à estomper. Ils ont souvent donné le meilleur d'eux-mêmes et lorsque le conflit éclate ils n'ont aucun droit à la reconnaissance. En y regardant de plus près, Anne-Laure a compris qu'elle s'était placée en conflit vis-à-vis de ses propres valeurs. Elle était en conflit avec sa valeur d'être à l'écoute de l'autre et celle d'être à l'écoute de soi. Elle comprit ce qui l'avait si longtemps tiraillée. Elle réalisa l'ampleur de son besoin d'affiliation et à quel point elle était fragile à propos de ce dernier parce qu'elle ignorait totalement comment se lier à l'autre. Elle sait maintenant que le lien se bâtit de personne à personne et non pas d'un rôle à une personne. Elle comprit, à sa décharge, que le fait qu'on lui avait confié un rôle de grande sœur et un rôle de soutien de famille l'avait empêchée de nouer des relations d'enfant à enfant avec ses frères et sœurs, et plus tard de collègue à collègue.

Être à l'écoute de l'autre, cela ne se fait pas vingt-quatre heures sur vingt-quatre, mais cela se fait dans un cadre particulier et pour des raisons particulières. Anne-Laure veut bien continuer d'aider les autres mais elle ne fera désormais plus jamais abstraction de sa personne, et exercera ce rôle dorénavant uniquement dans sa profession, où elle en profitera pour entretenir des relations amicales fondées sur des échanges positifs.

Les infirmières sont susceptibles d'être sollicitées pour tous les petits bobos de la famille, ceux du corps comme ceux de l'esprit. Ce rôle familial se surajoute aux autres rôles qu'elles doivent remplir dans le cadre de leurs fonctions et cela peut être grandement coûteux pour leur santé énergétique. Il est nécessaire de pouvoir respirer. Il est important de sortir du cadre des maladies et de favoriser les rencontres amicales et familiales où le rire est de rigueur.

Exercice

Les rôles

Après avoir lu ce chapitre, seriez-vous en mesure d'identifier les différents rôles qui sont joués dans votre famille ?

Connaissez-vous le vôtre ?
Qu'en diriez-vous ?
Acceptez-vous encore de le jouer ou avez-vous l'intention de le modifier ?
Quelles sont les réactions que vous prévoyez si vous changez de rôle ?
Si vous refusez un service ou une confidence comment vous sentez-vous ?
Note : prenez le temps qu'il vous faut mais arrêtez-vous pour réfléchir à votre rôle dans votre famille. Vous pourriez aussi réfléchir à votre rôle au sein de votre équipe de travail.
Une démarche en prévention d'épuisement ne se fait pas sans cette réflexion sur nos rôles et sur les investissements d'énergie que ces rôles comportent.

D. Résumé du chapitre

Les rôles forment la trame des comportements quotidiens et impliquent le statut, les demandes et les attentes des autres, mais aussi les gratifications et les punitions qui viennent sanctionner la façon dont les rôles sont joués. Il convient de se demander si le rôle que nous jouons ou sommes appelées à jouer sert ou dessert notre santé physique et mentale.

Le fait de se situer, dans une famille ou dans un groupe de travail, par rapport au rôle que nous y jouons peut éventuellement être d'une aide précieuse pour nous permettre d'identifier ce qu'il nous faut changer pour protéger nos énergies.

Les changements de rôle que nous faisons vont modifier la dynamique de notre famille ou celle de notre équipe de travail. Ces changements, parce qu'ils dérangent les autres et à cause du phénomène d'homéostasie, peuvent provoquer différentes formes de pressions.

Le changement de rôle a un impact sur l'ensemble de notre vie relationnelle car un tel changement touche à l'identité. Il faut réapprendre à se découvrir en tant qu'individu ayant des besoins et des limites et il faut prendre le temps de se faire une nouvelle identité ou prendre le temps de se situer face au don de soi et aux demandes des autres.

E. Références utiles

Bradshaw (J.), *La Famille*, Modus Vivendi, Montréal, 1992.
Satir (V.), *Thérapie du couple et de la famille*, ÉPI, Paris, 1971.

Chapitre 9

LA NÉGOCIATION ET LE CONTRAT AVEC L'ENTOURAGE ET DANS LE MILIEU PROFESSIONNEL

Dans le chapitre précédent, nous avons voulu vous aider à identifier quels sont les rôles que vous jouez dans votre famille ou dans votre équipe de travail. Si certains rôles ne vous conviennent pas, ou encore si la façon de jouer un rôle mine votre énergie, vous pouvez choisir de le remettre en question mais vous devez savoir que cela ne se fera pas sans réactions de la part de vos « partenaires de jeu ». Ces changements ne seront peut-être pas bien vus et il faudra peut-être « négocier » avec votre entourage pour introduire dans votre milieu les changements souhaités qu'il s'agisse de rôle, d'attitude ou de comportement. Afin d'actualiser les changements, un « contrat » peut être fait entre les parties en cause.

A. Le contrat et les attentes

Le terme « contrat » peut vous surprendre ici car il est généralement réservé aux ententes de nature financières ou légales. En service social et dans certaines approches psychologiques, cette notion est largement utilisée dans l'intervention sur le terrain. Il s'agit en fait d'une entente formelle entre deux personnes, l'intervenant et le patient concernant un travail à réaliser et des tâches à partager. Dans les relations interpersonnelles le contrat peut être utilisé d'abord dans un but de clarification et ensuite dans un but de négociation et d'entente. Il faut savoir que le contrat existe toujours dans toutes les relations interpersonnelles importantes car il y a toujours des attentes mutuelles. Nous parlons alors de contrats informels.

Contrairement à une idée très répandue, nous avons toujours des attentes, quelle que soit la situation où nous sommes impliqués. À plus forte raison, si une situation revêt une importance particulière pour nous, nos attentes seront encore plus considérables. La meilleure façon de vous convaincre de la réalité des attentes, c'est de penser à vos déceptions. À cet effet, rappelez-vous un événement ou une personne qui vous a déçue. Votre déception révèle une attente que vous aviez plus ou moins consciemment à l'égard de cette situation ou de cette personne. Nous pouvons être déçues de notre travail, de l'attitude de notre supérieur, du comportement de notre conjoint ou de notre enfant. Tout le monde un jour ou l'autre a ressenti de la déception, et c'est normal. Ainsi, affirmer ne pas avoir d'attentes c'est faire preuve d'irréalisme et surtout c'est se méconnaître.

Pour éviter les déceptions et les frustrations qui minent nos énergies, nous avons tout intérêt à préciser nos attentes, d'abord pour nous-même, et ultérieurement avec les autres. Lorsque nous définissons nos attentes et que nous encourageons les autres à faire de même, nous évitons ainsi des phrases du style : « Je n'aurais jamais cru cela de toi... » « je ne pensais pas que tu me traiterais de la sorte... » « j'avais pensé que vous sauriez faire face... » « votre attitude me déçoit... », etc. En réalité, dans de telles situations, les autres vous reprochent souvent de ne pas avoir joué votre rôle de la façon qu'eux le conçoivent ou selon leurs attentes. Cependant, leurs attentes avaient-elles été clarifiées avant ? Il y a fort à parier que non car vous auriez pu ajuster votre action en fonction des attentes exprimées ou réagir à ces attentes en posant vos limites, ce qui logiquement aurait permis d'éviter ce genre de reproches après coup.

Chez certaines personnes, la non-clarification des attentes est une stratégie plus ou moins consciente pour prendre les autres en défaut, pour les culpabiliser et prendre un ascendant sur eux. Certains parents utilisent cette stratégie mais aussi certains supérieurs hiérarchiques, certains médecins et peut-être même certains malades. Dès lors que les attentes sont clarifiées puis formalisées par un contrat, cette forme de manipulation n'est plus possible. La clarification évite bien des problèmes, particulièrement si vous êtes en position de subalterne.

Les attentes peuvent être constituées d'une foule de choses : des tâches concrètes à faire, des attitudes à adopter, des positions à défendre, etc.

Certaines attentes peuvent être plus difficiles à exprimer que d'autres car elles touchent des sujets intimes ou tabous comme la sexualité, l'argent, l'hygiène personnelle, etc. Par exemple, une attente extrêmement difficile à exprimer pour beaucoup d'aidants familiaux concerne l'hygiène et l'odeur corporelle surtout s'il s'agit de leur parent âgé. Pour d'autres aidants, c'est la question financière qui est difficile à aborder, surtout s'il s'agit d'obtenir une rémunération financière pour services rendus. En milieu hospitalier, une attente majeure des infirmières serait que leur point de vue soit pris en compte par l'équipe médicale dans les décisions concernant l'avenir du patient et de sa famille. Il convient donc d'identifier nos zones d'inconfort quant aux sujets à traiter relativement à nos attentes et éventuellement nous pouvons demander de l'aide afin de trouver une meilleure façon de les formuler. Toutefois sachons que si nous avons une attente, il vaut mieux l'exprimer car elle refera toujours surface de manière plus ou moins discrète. En effet, si nous taisons trop longtemps une attente, nous risquons d'être frustrés et nous pouvons éventuellement perdre patience voire devenir violents verbalement ou physiquement.

B. La négociation du contrat

La négociation se réalise toujours en deux étapes. La première consiste à clarifier vos besoins, vos attentes et vos limites dans une situation précise ou avec une personne en particulier. Vous pouvez aussi inviter votre interlocuteur à réfléchir de son côté aux mêmes questions. La seconde étape consiste en une mise en commun du résultat de vos réflexions respectives. Nous vous suggérons de procéder à tour de rôle afin de permettre à chacun d'exprimer son point de vue sans être interrompu. Toute interruption pour discussion ou argumentation risque de faire dévier l'exercice vers des détails secondaires ou de susciter des tensions. Vous pouvez cependant prendre note des réactions et opinions que suscite l'exposé de votre interlocuteur afin d'y revenir ultérieurement.

Si les positions des deux négociateurs ne sont pas trop divergentes et si le climat de la discussion est relativement détendu, il est possible d'en arriver à des ententes dès la première rencontre. Par exemple, un nouveau chef de service peut inviter ses subalternes à réfléchir à leurs besoins et leurs attentes par rapport à la nouvelle direction d'équipe. L'infirmière-chef peut aussi réfléchir à ses attentes par rapport aux infirmières et aux aides-soignantes de son service. Nous devrions faire préciser toutes attentes telles : je m'attends à de la compréhension de votre part, à de la disponibilité, à de la bonne humeur, à un esprit de collaboration. Mais, qu'est-ce que la compréhension, la disponibilité ou la collaboration pour une personne ? Est-ce que je m'attends à ce que vous fermiez les yeux sur mes retards occasionnels le matin car je dois aller conduire mon enfant chez la gardienne et que la circulation est dense à cette heure ? Est-ce que je m'attends à ce que vous soyez toujours présent dans le service et que vous nous rencontriez immédiatement lorsqu'il y a des problèmes ? Est-ce que je m'attends à ce que vous soyez toujours d'accord avec toutes les propositions que j'apporterai dans l'équipe ou est-ce que la critique adressée à la bonne personne fait partie de la collaboration ?

La négociation n'est pas toujours nécessaire, mais si elle l'est, elle ne peut débuter que lorsque les attentes, limites, accords et désaccords sont exprimés. La négociation, telle que nous la connaissons, se réfère à des situations particulières comme la négociation syndicale-patronale ou parent-adolescent. Ce sont des négociations qui se font souvent dans un climat empreint d'émotivité et d'agressivité. C'est la raison pour laquelle nous craignons d'aborder la négociation. S'il en est ainsi, c'est surtout parce que nous avons l'habitude de négocier sur position. Cette forme de négociation nous amène à discuter à partir d'une position ferme et cela suggère que nous voulons amener « l'adversaire » à adopter notre point de vue en faisant le moins de concession possible. C'est le type de négociation impliquant des gagnants et des perdants et qui utilise, pour arriver à ses fins toutes sortes de stratégies : promesses, menaces plus ou moins voilées, chantage affectif, échanges ou redevances.

Dans les relations interpersonnelles il peut être dangereux d'utiliser une stratégie de négociation sur positions. Vouloir gagner peut comporter un prix à payer au plan relationnel car la défaite de la partie adverse risque de créer des déceptions et des rancœurs qui vont affecter à plus ou moins long terme la relation. Il est préférable d'adopter la négociation sur intérêt commun ou encore ce qu'il a été convenu d'appeler en pédagogie, la négociation gagnant/gagnant. Une telle forme de négociation permet avant tout de protéger la relation et n'est-ce pas ce qui compte le plus dans bien des cas? Plutôt que de partir des points de vue divergents, la négociation sur intérêt, comme son nom l'indique, débute sur la base d'un terrain d'entente et sur des objectifs communs.

Repensons à Marie-France et à sa belle-mère qui auraient toutes les deux intérêt à négocier un contrat clair. Marie-France peut s'attendre à ce que sa belle-mère la seconde dans son travail domestique sans avoir à le demander, qu'elle s'occupe par elle-même pendant la journée, qu'elle s'abstienne de la critiquer surtout devant son mari et ses enfants, qu'elle laisse à Marie-France et à son mari un moment d'intimité au salon en fin de soirée et qu'elle évite surtout de l'appeler inutilement à l'hôpital. Sa belle-mère aurait pu s'attendre à ce que Marie-France lui fasse des demandes précises par rapport aux travaux domestiques, à ce que les enfants lui parlent davantage lorsqu'ils reviennent de l'école, à avoir quelques activités seule avec son fils, à ce que Marie-France prenne sa tension quotidiennement et qu'elle lui téléphone durant la journée pour prendre de ses nouvelles.

Chacune pourrait se sentir outrée et jusqu'à un certain point exclue à travers les demandes de l'autre. Il est important, à cette étape, de ne porter aucun jugement et de tempérer dans la mesure du possible ses émotions. C'est d'ailleurs la raison pour laquelle nous suggérons toujours de négocier des contrats clairs dès le début de nos relations personnelles ou professionnelles. En discutant le plus tôt possible des attentes cela évitera d'accumuler frustrations et rancunes lesquelles rendraient encore plus difficiles les négociations ultérieures.

Dans la négociation sur intérêt, regardez les attentes de l'autre avec un certain recul et une curiosité quasi scientifique. Considérez que toutes les demandes sont légitimes. Cependant, cela ne veut pas dire qu'elles sont acceptables. Marie-France et sa belle-mère peuvent convenir de deux priorités: le sentiment de sécurité de sa belle-mère et l'harmonie du couple. Les deux parties en cause ont et doivent partager la responsabilité de trouver des solutions. Marie-France peut accepter la prise de tension quotidienne mais elle peut refuser de téléphoner à sa belle-mère alors qu'elle est à son travail. Elle peut cependant trouver quelqu'un qui soit disponible pour recevoir les appels de sa belle-mère ou intervenir en urgence ? Il faut chercher des ressources dans la famille, mais aussi dans le voisinage, les associations ou les services publiques et privés.

Quant à sa belle-mère, elle peut accepter de laisser à sa belle-fille et à son mari un peu d'intimité. Le couple pourra s'entendre pour qu'un poste de télévision soit installé dans sa chambre afin que celle-ci y écoute ses émissions préférées deux soirs par semaine. Par ailleurs, Laurent peut s'engager à amener sa mère en promenade lorsqu'il sera en congé pendant la semaine. En contrepartie sa belle-mère restera à la maison pour garder les enfants un samedi par mois lorsque Laurent ne travaille pas de façon à permettre au couple de sortir ensemble. La négociation sur intérêt commun se fera pour le plus grand bien de tous et surtout pour éviter à l'une et l'autre des parties d'accumuler des déceptions et des frustrations.

La négociation sur intérêt demande du temps et de l'énergie, mais elle s'avère une opération possible et réaliste. Plusieurs infirmières qui ont participé à notre groupe de thérapie auraient grandement eu besoin d'une telle négociation avec leurs proches ou avec leurs collègues de travail. Elles auraient ainsi évité bien des frustrations et des investissements inutiles d'énergie. En groupe de thérapie, nous avons réalisé que l'apprentissage de la négociation n'est pas une chose facile, car les soignants n'ont pas l'habitude d'exprimer leurs besoins, leurs attentes et leurs limites. Ils ont au contraire l'habitude d'écouter et de répondre aux besoins et aux attentes des autres. Les soignants n'ont surtout pas le réflexe de demander. Et, pour eux, l'expression des besoins et des attentes équivaut à faire des demandes alors qu'ils sont plutôt habitués à s'organiser tout seuls autant que faire se peut. Certains nous ont même avoué que le fait même de se mettre en position de demandeur était à leurs yeux des signes de faiblesse et de dépendance.

Les infirmières le savent, l'autonomie ne signifie pas que le malade doit tout faire seul. L'autonomie lui permet d'accepter d'être assisté dans la réponse à ses besoins, elle lui permet surtout de nommer ces derniers et d'exprimer ce qu'il attend du personnel soignant et de sa famille, tant pour les questions régissant la vie quotidienne que pour les questions concernant de plus importantes décisions pour sa santé. Lorsqu'il s'agit d'appliquer ces notions à leur vie et de traduire leurs besoins en demandes, certaines infirmières sont mal à l'aise et oublient que faire une demande ou préciser ses attentes relève bien plus de la maturité que de la faiblesse.

1. Avec le supérieur hiérarchique

La clarification des attentes comporte plusieurs avantages. Elle favorise de bonnes relations entre les patrons et les employés. Elle facilite, le cas échéant, le processus d'évaluation en vue de l'obtention d'une permanence ainsi que le processus d'évaluation continu qui devrait faire partie intégrante de la gestion professionnelle dans les services socio-sanitaires. De plus, la clarification des attentes peut avoir pour effet de prévenir l'épuisement. En effet, Scharf de même que Firth ont montré que la perception ambiguë d'un rôle augmente l'épuisement professionnel chez l'infirmière, peu importe son milieu de travail.

Chacune des parties engagées dans la négociation doit d'abord prendre le temps de faire cette réflexion pour soi. Mais le temps est souvent invoqué comme un obstacle à cette réflexion. Et pourtant, celle-ci est essentielle. Toutes les relations de travail au sein de l'équipe en seront améliorées. Elle facilite aussi le processus d'évaluation pour la permanence ainsi que le processus d'évaluation continu qui devrait faire partie intégrante de la gestion professionnelle dans les services de santé.

2. Avec les collègues

À la différence de la négociation avec le supérieur immédiat, la négociation avec les collègues n'est pas toujours nécessaire. Elle peut s'avérer utile ou nécessaire en certaines circonstances et en fonction de buts particuliers. Dans les équipes multidisciplinaires, il est fréquent de rencontrer plusieurs types de professionnels qui doivent se coordonner par rapport à un même dossier ce qui nécessite parfois de la négociation.

En fait, coordination et négociation ne sont pas des synonymes. La négociation peut parfois faire partie de la coordination lorsque nous sommes mis en présence de différentes façons de faire ou différents points de vue. Dans un tel cas, la négociation sert à rallier tous les soignants à des points de vues semblables de façon à favoriser l'intervention et le bien-être du patient. La négociation peut porter sur des attitudes, ce qui peut s'avérer un peu plus délicat que sur des actions concrètes. Dans une telle forme de négociation, le regard est porté sur le patient et ce dernier devient le point central de la négociation. Par exemple, doit-on parler ouvertement avec ce malade de sa situation ? Doit-on stimuler un autre malade à garder son autonomie ou compte tenu de son âge et de son état doit-on seulement l'entourer ? Quelle attitude faut-il adopter avec tel autre patient qui refuse de collaborer aux soins ?, etc. Si les divergences persistent, elles peuvent à la limite faire l'objet d'une médiation de la part du supérieur hiérarchique.

La négociation devient plus difficile lorsque le bien-être personnel d'un soignant dépend des attitudes ou des comportements d'un collègue. L'intérêt commun des deux interlocuteurs est moins facile à trouver que lorsque nous négocions à partir de l'intérêt d'un patient. En effet, l'infirmière qui amorce une négociation avec un collègue fait état d'un besoin ou d'une forme d'insatisfaction et elle fait figure de demandeur. Elle a intérêt à trouver une solution ou un accommodement face à la situation qui est insatisfaisante pour elle. Celle qui demande peut se sentir aussi en position d'infériorité ou de faiblesse et faire une demande dans une telle position peut s'avérer difficile.

Un tel ressenti à l'égard de la demande peut constituer un handicap dans la négociation. Nous devons être absolument convaincues de notre droit à faire nos demandes. Un échec de la négociation avec un collègue peut porter un coup dur à l'amour propre de celui qui pose la demande. Il peut s'en suivre un refus de formuler toute nouvelle demande et une attitude de repli sur soi dans l'équipe.

L'analyse d'une négociation entre collègues peut se faire avantageusement en utilisant la grille JE, TU, CONTEXTE. En effet, JE suis responsable de poser ma demande et de préciser mes attentes, mais je n'ai aucune responsabilité sur la façon dont cette demande sera reçue et traitée par l'autre (TU) personne, même si je peux l'informer de comment je souhaiterais que ma demande soit accueillie. Le CONTEXTE quant à lui peut expliquer la difficulté ou l'échec d'une négociation. Je ne suis responsable que de ma façon de négocier, c'est-à-dire des stratégies et des arguments que j'utiliserai dans la négociation. Et je suis aussi responsable de la position que j'adopterai suite à la négociation.

3. Avec le patient

« L'aide est une action par laquelle une personne prête son concours à une autre, en joignant ses efforts aux siens », dit le *Petit Robert*. Cette définition implique un effort mutuel dans le traitement ou la recherche de solution et exclut automatiquement les attitudes de Sauveteur. Il s'agit là d'une approche du soin et de la relation d'aide qui peut heurter la sensibilité de certains soignants qui trouvent leur gratification dans le maternage et qui donnent tous les droits au patient sous prétexte qu'il est âgé, malade ou handicapé. Ces personnes accepteront difficilement de négocier un contrat formel avec le malade.

Négocier ne signifie pas que nous manquions de cœur ou de générosité. La négociation avec le malade se fait à la fois pour le bien-être psychologique du malade mais aussi pour celui du soignant. La négociation du contrat est un outil efficace pour sortir du rôle de Sauveteur et éviter les pertes d'énergie, les déceptions, les manipulations et le chantage affectif.

De plus, la négociation du contrat permet de mobiliser les capacités du malade, de maintenir son autonomie psychologique, sociale et fonctionnelle tout en ayant un effet positif sur l'estime de soi. Le malade doit sentir qu'il n'est pas dans un milieu rigide et contraignant, qu'il dispose encore d'un droit de parole et d'une marge de manœuvre par rapport à sa vie.

Dans la négociation avec le malade, le soignant peut facilement prendre un ascendant sur le patient. Celui-ci en effet possède des connaissances techniques que le patient n'a pas, il est dans un milieu familier et il jouit, du fait même de son statut professionnel, d'une certaine autorité dont il peut abuser. Dans la négociation avec le malade, le soignant doit souvent encourager l'expression sans l'imposer. De plus, il doit rassurer le patient sur le fait qu'il n'encourra aucune représaille pour ses critiques éventuelles ou les demandes qu'il peut adresser au personnel soignant.

La pratique de la négociation chez le personnel soignant est particulièrement importante dans le cas de services de long séjour, de structures d'accueil pour personnes handicapées et âgées. Ces milieux constituent des lieux de vie et non des lieux de passage. Mais encore faut-il que la philosophie de gestion de ces établissements favorise la négociation avec les résidents. Favorise-t-on l'autonomie du résident ou préconise-t-on le contrôle au nom de la sécurité ? La philosophie favorise-t-elle chez les résidents le droit à l'expression des opinions, des différences et des oppositions ? Favorise-t-elle l'autonomie du personnel et démontre-t-elle de la confiance envers le jugement des soignants ? Permet-elle au personnel de poser des limites dans leur implication auprès des résidents lorsque cela s'impose ou donne-t-elle toujours raison aux résidents ? La négociation est-elle encouragée et valorisée ?

C. La négociation, une façon de protéger la qualité relationnelle

La négociation est l'aboutissement de toute la démarche de réflexion sur la prévention de l'épuisement. Il est essentiel dans une négociation de se sentir en possession de ses moyens et de savoir que ses demandes sont justes et légitimes. Cette décision doit aussi être soutenue par la conviction que vouloir négocier avec l'autre c'est vouloir protéger la qualité de la relation. Les attentes sont les anticipations légitimes d'une qualité de rapport que nous voulons entretenir avec l'autre. Dire ses attentes à l'autre est un geste qui fait montre de confiance et d'intérêt pour l'autre et dénote une grande maturité. En exprimant ouvertement nos attentes et nos limites, cela permet à notre interlocuteur de se positionner et ainsi cela évite d'entretenir des attentes irréalistes à son égard. Il n'est jamais agréable d'essuyer un refus mais il vaut mieux que les limites d'une relation soit fixées le plus rapidement possible.

D. Résumé du chapitre

Dès que deux personnes entrent en relation, il y a contrat. Le contrat vient des attentes. Comme il y a toujours des attentes dans une relation, il y a donc contrat du moins à ce stade est-il implicite. C'est ce qu'il est convenu d'appeler le contrat psychologique.

Le contrat psychologique peut être explicité par l'action de clarifier et de nommer les attentes. Il offre aux parties en cause, un moyen concret d'établir, le cas échéant, les modalidés de réponses aux attentes identifiées. En clarifiant les attentes, les déceptions et les frustrations peuvent éventuellement être évitées puisque le ou les interlocuteurs concernés peuvent à leur tour réagir en posant leurs limites ou en s'exprimant au sujet des attentes nommées.

Le contrat se réalise toujours en deux étapes. Au cours de la première étape, chaque partie doit clarifier ses attentes et en deuxième lieu on expose ses attentes à l'autre. L'exposé des attentes doit se faire sans être interrompu par de la discussion ou de la critique.

La négociation vient après l'étape de clarification et d'exposé des attentes. Plutôt que de partir des points de vue divergents, la négociation sur intérêt, comme son nom l'indique, débute sur la base d'un terrain d'entente entre les parties et sur des objectifs communs.

La négociation du contrat est un outil efficace pour sortir du rôle de Sauveteur et éviter les pertes d'énergie, les déceptions, les manipulations et le chantage affectif. Il constitue une forme de protection pour la relation patient-soignant.

E. Références utiles

Cohen (H.), *Tout peut se négocier*, Select, Montréal, 1982.
Gordon (T.), *Enseignants efficaces*, Le Jour, Montréal, 1979.

Chapitre 10

LES DEUILS ET LES ACQUIS : TÉMOIGNAGES CLINIQUES

Nous en étions à notre douzième rencontre de groupe. Nous attendions les participantes avec joie et pour cette occasion une petite fête toute spéciale avait été prévue. Bien que toutes les participantes soient infirmières elles venaient de milieux différents. Elles avaient été présentées au groupe soit par une collègue de travail, soit par leur infirmière-chef qui avait entendu parler des rencontres que nous animions ou à la suite de la formation que nous dispensions sur la prévention de l'épuisement. C'est d'ailleurs au cours d'une formation que nous avions connu Marie-Carmen.

Les participantes avaient fraternisé assez rapidement et il s'était développé une belle solidarité de groupe. Les échanges étaient chaleureux, simples et très soutenus. En début de rencontre, cependant, les règles de fonctionnement avaient été clairement dites. Aucun jugement dévalorisant, ni interprétation intempestive ne seraient acceptés. L'écoute attentive de la personne qui s'exprimait serait de mise, on ne devait pas parler pendant qu'une participante s'exprimait. Enfin, il va sans dire, nous faisions de la confidentialité une règle d'or.

Évidemment, sans rien promettre quant aux réponses que nous pouvions apporter aux questions qui seraient soulevées, ni sans être capable de prévoir dans quelle mesure les rencontres allaient leur être profitables, nous nous sommes tout de même engagées au respect de chacune en les assurant que cette démarche allait leur fournir incontestablement des pistes de réflexion. Nous les assurions également de notre collaboration et de notre soutien dans leur recherche de solutions. Des moyens concrets seraient suggérés afin qu'un travail de recouvrement ou de préservation de leurs énergies puisse être mis en application facilement. Enfin, nous les assurions que nos animations tiendraient compte de leurs besoins et que nos interventions resteraient très pragmatiques tout en incitant à la réflexion et au changement d'attitude et de comportement.

Pour cette dernière rencontre précisément, nous avions donné la consigne suivante : trouvez deux objets symboliques, l'un représentera les deuils que vous avez faits au cours de ces rencontres et l'autre objet illustrera ce que vous avez acquis, pour vous-même dans cette démarche. Les objets choisis devront illustrer soit une attitude, un comportement, une résolution ou un changement concret que vous avez réalisé ou qui est en voie de réalisation.

Une participante nous demanda si un même objet pouvait représenter à la fois le deuil et l'acquis. Bien certainement, du moment que vous laissez parler votre imagination. Il fallait sélectionner des objets facilement transportables d'une part et assez concrets d'autre part pour être un ancrage visuel parlant. Voilà, ce n'était pas plus compliqué.

Pour cette dernière rencontre, chaque participante devait préparer un plat à déguster. Les plats, bien sûr, devaient être mis en commun comme un symbole d'intégration à la communauté et pour marquer d'une certaine manière l'originalité et l'individualité de chacune. Nous nous engagions, quant à nous, à offrir les boissons.

Une belle table fut dressée. Des ballons de baudruches décoraient la salle et une très belle nappe de dentelle s'étendait sur la table prête à recevoir les plats des participantes ainsi que leurs objets symboliques. En début de rencontre, les participantes ont été invitées à venir y déposer leurs trouvailles. Puis, sans autre préambule, nous avons invité les unes et les autres à circuler autour de la table afin de prendre contact avec les objets qui s'y trouvaient. Nous pouvions lire l'étonnement et l'admiration dans les yeux de chacune. Et au fur et à mesure que les participantes avaient un contact visuel avec les objets, un sourire de plaisir se dessinait lentement sur les lèvres.

Pour nous, cette rencontre s'avérait très nourrissante et à chaque fois c'était la surprise, l'étonnement et un immense plaisir. C'était notre retour. Nous étions ébahies. Nous constations une fois de plus avec ravissement comment les objets choisis pouvaient être parlants et comment ils pouvaient si justement représenter ce que nous avions observé comme transformation, chez l'une et l'autre des infirmières participantes, au cours de ces rencontres. Après avoir choisi un siège, les participantes furent invitées à se recentrer sur ce qui allait maintenant se dérouler.

À notre grand étonnement c'est Marie-Carmen qui, la première, prit la parole. Elle avait apporté deux bouts de ficelle, l'un rouge et l'autre blanc. Elle nous dit que le bout de ficelle rouge représentait les liens du sang, ceux qu'elle ne pouvait laisser tomber, mais en même temps il représentait les deuils à faire concernant sa relation à sa mère et à sa grand-mère. Le bout de ficelle blanc représentait quant à lui le lien qu'elle devait créer avec elle-même puisque tout était en blanc. Tout était à faire, mais elle était bien décidée à le faire. Elle enchaîna en nous disant également qu'elle ne se sentirait plus sur la corde raide, c'est pourquoi elle avait choisi une ficelle molle et elle s'empressa d'ajouter qu'elle avait compris qu'elle avait des choix possibles à l'intérieur du cadre. À ce moment, elle se leva, prit le bout de ficelle blanc, le plaça par terre, passa par-dessus et nous dit : « Il me suffira de passer de l'autre côté de mes croyances ». Spontanément, nous nous sommes mises à applaudir. Des larmes douces coulaient sur le visage de Marie-Carmen. Elle reprit place sur son siège et garda un moment de silence que nous avons toutes respecté.

Anne-Laure se leva, alla chercher ses objets puis se plaça debout au milieu du cercle. Elle avait l'air d'une collégienne ayant fait l'école buissonnière. Fièrement, elle nous fit voir une plume. C'était une plume d'autruche qu'elle avait ramenée d'une visite au zoo alors qu'elle avait à peine 10 ans. Elle nous dit qu'elle avait réalisé tout au long de ces rencontres qu'elle avait fait l'autruche une grande partie de sa vie. «Je ne ferai plus jamais l'autruche par rapport à mes besoins d'affiliation», nous dit-elle. Je ne nierai plus l'impact négatif que cela a sur moi quand j'accepte d'être la confidente de tous et chacun. Puis elle laissa s'envoler la plume qui alla se poser lentement quelque part sur le sol.

Après quelques instants de silence, elle ouvrit lentement une étrange petite boîte en forme de cœur. Nous étions toutes intriguées. Et alors que nous croyions qu'elle allait nous parler de cette boîte, elle en sortit, oh surprise! une prothèse dentaire horriblement blanche et rose qu'elle s'était procurée dans un magasin de farces et attrapes. Sur le coup nous sommes restées bouche bée. Anne-Laure nous dit qu'au cours des rencontres elle avait acquis le goût de rire à gorge déployée et l'envie de croquer la vie. Elle nous dit n'avoir pu résister à la tentation de se procurer cet objet hideux mais combien parlant pour elle. Ce fut l'hilarité générale et l'objet insolite s'est promené d'une main à l'autre. Les fous rires résonnaient dans toute la salle.

Marie-France prit une grande inspiration. Elle nous dit combien elle se sentait touchée par les prestations de Marie-Carmen et d'Anne-Laure. Puis elle nous présenta deux magnifiques peluches. L'une un lièvre et l'autre une tortue. « Voyez, j'ai fait le deuil de mon impulsivité. Je ne sauterai plus sans réfléchir sur les demandes des autres car j'ai acquis une nouvelle manière de me protéger. Je vais maintenant prendre mon temps, comme la tortue, avant d'offrir mon aide. Je laisserai aux autres le soin de prendre leurs responsabilités. Je ne courrai plus à droite et à gauche pendant mes vacances. Mes parents sauront bien se débrouiller au commerce sans moi. Je ne me présenterai plus comme la femme indispensable. Le rythme de la tortue me conviendra mieux. Ainsi, je pourrai enfin prendre le temps de savourer ma vie et son environnement. Laurent, mon mari, est très important pour moi et nous profiterons désormais de nos vacances pour nous retrouver en amoureux. En fait je n'avais jamais pris le temps de réfléchir à ce qui était bon pour moi ». Ce fut un silence religieux qui accueillit les propos de Marie-France puis elle fit le tour du groupe en nous regardant chacune droit dans les yeux, comme pour nous prendre à témoin de ses dispositions. Marie-France était dans une énergie très différente de ce que nous lui avions connu. Elle était calme et sereine. Ce rictus inquiet que nous lui connaissions avait quitté la commissure de ses lèvres. Le silence qui suivit son exposé fut très bénéfique. Chacune lui rendit son sourire et Lucie, avec qui elle avait particulièrement sympathisé, agita la main en arrondissant le pouce et l'index, pour lui signifier son admiration.

Brigitte avait été peu loquace mais elle avait toujours manifesté beaucoup de présence tout au long des rencontres. D'ailleurs nous avions aussi validé les abstentions d'expressions pour que les participantes soient à l'aise de s'exprimer ou non. Nous savions toutefois que Brigitte s'exprimait plus facilement lorsque nous l'invitions du regard. Et comme Marie-France avait, en terminant son exposé, regardé chacune des participantes et que son regard s'était en dernier lieu posé sur Brigitte, cette dernière prit la parole pour nous présenter son objet symbolique.

Brigitte avait emprunté une marionnette à double tête à sa petite nièce. D'un côté se trouve le Petit Chaperon rouge ; si on lui retourne la jupe par-dessus tête, on découvre le grand méchant loup. «Je fais le deuil de mon désir de clairvoyance, nous dit Brigitte. Je ne puis être partout à la fois et si mon ami s'est suicidé ce n'est pas de ma faute. En revanche je peux continuer à me sentir compétente et à prodiguer des soins aux malades, comme le Petit Chaperon rouge qui porte du beurre et des galettes à sa grand-mère. J'ai acquis une vision plus juste quant à mes responsabilités. Je peux symboliquement donner de la nourriture à ceux qui me le demande mais je ne suis pas responsable de tout ce qu'ils mangent. Lorsque ma mauvaise conscience voudra faire surface, je penserai à cette marionnette et en imagination je me retournerai la jupe sur la tête afin de tenir compte d'une autre partie de moi, celle qui a ses compétences et qui peut prendre du recul par rapport à une situation. Je tiendrai compte du JE, du TU et du CONTEXTE lorsque je voudrai faire l'analyse d'une situation conflictuelle. Je ne me laisse plus dominer par mes émotions. Voilà ce que j'ai acquis au cours de ces rencontres. J'ai aussi un mental qui doit raisonner et j'ai un corps dont je dois m'occuper. Cette grille d'analyse me suivra toute ma vie et je mettrai une photo de cette marionnette bien en évidence sur mon bureau de travail».

Josée se mit à rire gentiment et elle demanda la parole. Elle déploya un long ruban à mesurer comme en utilisent les couturières. Elle nous dit tout simplement qu'elle allait cesser de tout mesurer au centimètre. Elle avait acquis plus d'indulgence. Une indulgence qu'elle s'empressa de nous représenter par un gros flacon de Soupline dont elle ouvrit le bouchon pour nous en faire humer l'arôme. «Ainsi, je serai davantage souple et sympathique pour mes collègues mais je poursuivrai mes propres buts sans imposer mes exigences aux autres. Il me suffira de donner ma pleine mesure selon mes propres critères et je serai satisfaite de moi. Je ne perdrai pas mes énergies à vouloir ligoter les autres en leur faisant adopter mes standards. Voilà ce que j'avais à vous dire. Merci de m'avoir écoutée et merci de m'avoir permis de quitter ce fâcheux comportement de perfectionniste. Je vais vivre et laisser vivre». Puis Josée sortit de son sac à main un troisième objet. En rougissant, elle nous dit : j'ai un peu triché. Je voulais aussi représenter, par ce volume, mes nouveaux projets d'étude. Puis elle se rassit sans rien ajouter. Spontanément tout le groupe l'a remerciée pour son honnêteté et pour sa participation.

Carole avait apporté un citron et une orange. « Mon comportement de surresponsable m'est devenu amer. J'en fais le deuil et je me propose de me tenir en santé en faisant plus d'exercice. Et c'est ce que veut représenter cette gigantesque orange que j'ai choisie pour l'occasion. Cette orange est assez grosse pour être partagée mais elle est aussi assez juteuse pour me désaltérer et me fournir la vitalité dont j'ai besoin pour m'occuper de moi. Et puis, à force de prendre les responsabilités des autres, j'étais devenue aigrie et en plus personne n'était jamais satisfait. Je vais arrondir les angles, tourner les coins plus ronds comme le suggère la rondeur de cette orange. Et la couleur orangée m'invite au bien-être, elle me renvoie à mon besoin de chaleur humaine et à mon désir de me laisser couler dans la vie. D'ailleurs, je ne sais trop comment, mais j'ai retrouvé le goût de la poésie. Je vais m'y remettre tant dans la lecture que dans l'écriture».

Anne-Lise nous fit voir son foulard et son écusson de guide. « Quand je me suis rappelé l'incident chez les guides, j'ai compris que j'avais besoin d'être guidée et que j'avais besoin de flâner. J'ai fait le deuil de ma médaille. Je ne veux plus les collectionner. Je veux tout simplement être en lien avec moi-même tout en étant reliée aux autres. Le groupe m'a appris que chacun est responsable de ses besoins. Que chacun (et elle déploya le foulard en tendant un bout à Lucie) est responsable de son bout de la relation. Voilà ma plus grande acquisition. Fini la femme précoce, celle qui comprend tout mais qui au fond ne sait rien d'elle. Merci à toutes d'avoir été présente dans ce bout de chemin de ma vie. Je serai en lien par la pensée avec vous car je sais que le temps ne nous permettra pas nécessairement de nous retrouver aussi souvent que nous le souhaitons ce soir». Puis Anne-Lise, tenant un bout du foulard de sa main gauche, circula dans le groupe. En s'arrêtant devant chacune des participantes elle leur donnait l'autre bout du foulard créant ainsi un lien symbolique avec elles. Ce lien est aussi un pont s'empressa-t-elle d'ajouter, et nous sommes libres d'y aller et venir sans être arnaquées, sans s'épuiser. En terminant, je veux vous dire que je me fais la promesse de répéter mon escapade à l'hôtel ! Et nous avons toutes accueilli cette affirmation d'un grand hourra.

À la suite d'Anne-Lise et avec enthousiasme Sophie prit la parole. Anne-Lise au fur et à mesure de nos rencontres, était devenue en quelque sorte son modèle; se jugeant souvent elle-même incompétente et se laissant facilement déborder par les tâches imprévues, les astuces utilisées et la forte détermination d'Anne-Lise l'avaient considérablement impressionnée. Sophie nous présenta une magnifique clé. Elle nous dit l'avoir trouvée en Espagne alors qu'elle était en visite chez un vieil oncle. C'était, paraît-il, une clé d'un monastère très ancien. Je voudrais commencer par vous dire ce que j'ai acquis. «Ce qui restera toujours une clé pour moi, c'est la phrase suivante que je connais désormais par cœur : le malheur, la maladie, l'âge ou le statut ne donnent pas tous les droits. En revanche, ce dont je fais le deuil, c'est de mon désir de toute-puissance. Je possède de nouvelles clés, mais je n'aurai jamais toutes les clés ou toutes les réponses. Surtout aux urgences. Je dois continuer de me sécuriser, mais je dois aussi considérer et accepter mes limites. Si besoin est, je demanderai un changement d'affectation sans me sentir nulle et déchue. Je pense que maintenant je possède la clé de l'humanisme». Voilà qui était bon à entendre car, au début des rencontres, Sophie était tellement dure pour elle-même que nous ne voyions vraiment pas comment nous allions pouvoir l'aider. Je fais le deuil d'une croyance, ajouta Sophie, une croyance ancrée chez tous les soignants qui ne se donnent pas le droit d'exister parce que leurs patients souffrent ou sont démunis. Et elle termina son propos en nous gratifiant de son plus beau sourire.

Tous les visages se tournèrent vers celui de Lucie. Cette dernière commença son discours en nous expliquant la signification de son prénom; Lucie veut dire «lumière». C'est pourquoi elle avait choisi de nous apporter un magnifique chandelier à cinq branches qu'elle avait acheté bien avant de faire cet exercice. «Je me le suis procuré dernièrement parce que je venais de faire la lumière sur ce qui n'allait pas depuis des années. Le métal noir de ce chandelier représente pour moi à la fois la noirceur et le froid dans lequel j'étais plongé. Je fais le deuil de ces années de noirceur et de froideur envers moi-même. J'abandonne ma jalousie et j'acquiers la certitude que le feu qui me consumait lentement va désormais me réchauffer et m'éclairer afin que je sois plus égoïste. Je le dis exprès de cette manière, en choisissant ce mot comme pour exorciser une interdiction à prendre soin de moi. Mon éducation judéo-chrétienne me colle toujours à la peau. Cependant, ces rencontres ont donné lieu à de très beaux recadrages. À bas la jalousie, vive l'égoïsme ! » Puis Lucie alluma les cinq bougies une à une. Ses gestes étaient lents. Comme un rite de purification elle promena le chandelier en cercle tout autour de nous, puis alla le poser solennellement sur la table. « Voilà pourquoi j'ai tenu à parler la dernière, nous dit-elle. Mon chandelier va donner sa première lumière, sa première chaleur pour moi dans notre groupe. Puis il veut symboliser aussi les nouveaux éclairages que j'ai reçus tant des animatrices que de chacune d'entre vous. »

Après un moment de recueillement bien senti, nous avons demandé s'il y avait des choses à ajouter puis nous avons à nouveau insisté sur l'importance de continuer à écrire dans le journal de bord qui les avait accompagnés tout au long des séances, témoin de leurs changements et de leurs acquisitions. Et nous sommes passées à table pour y célébrer nos acquis.

Conclusion

Notre démarche de réflexion a pour objectif de développer la hardiesse chez l'infirmière. Nous avons donc mis résolument l'accent sur la responsabilité des individus face à la protection de leurs énergies. En ce sens, la part du JE occupe une place prépondérante dans cet ouvrage. Nous croyons que le travail de réflexion proposé peut contribuer à augmenter l'engagement de l'infirmière, le sens du défi à travers les bouleversements actuels que traverse le milieu de la santé mais surtout que cette démarche peut augmenter le sens du contrôle que l'infirmière peut avoir sur sa vie professionnelle et personnelle.

Cette conviction s'appuie sur les observations que nous avons recueillies à travers les activités de formation que nous avons réalisées tant en France qu'au Québec. Lors de rencontres d'évaluation postformation, les observations rapportées par les infirmières ou les aides-soignantes allaient principalement dans le sens suivant : « J'ai cessé de me sentir coupable » ou « Je ne me laisse plus culpabiliser par les autres quand je fais des choix » ou « Je suis maintenant en mesure de prendre une distance dans une situation agressante et démoralisante » ou encore « Je suis plus attentive à ma tendance à me surresponsabiliser et je pose plus clairement mes limites ». Les infirmières qui ont réussi à diminuer la culpabilité et la surresponsabilité dans leur vie se donnent en effet davantage de marges de manœuvre dans les choix qu'elles peuvent faire en vue de protéger leurs énergies. Elles ont davantage de contrôle ou de pouvoir sur leur vie personnelle ou professionnelle.

Mais nous croyons que cette réflexion sur le processus de l'épuisement pourrait s'extrapoler et s'adapter pour inclure à la fois la part des autres (TU) et la part du contexte (CONTEXTE) dans la démarche de prévention de l'épuisement. En effet, la prévention de l'épuisement ne relève pas seulement de la responsabilité des individus. Les structures de soin ont aussi la responsabilité d'offrir des conditions de travail et surtout de développer des modes de gestion qui favorisent la prévention de l'épuisement. Les trois dimensions de la hardiesse développées par Kobasa peuvent s'appliquer à l'équipe de travail ou à la structure de soins elle-même.

Une structure peut contribuer à développer des équipes de travail hardies où le sens de l'engagement sera rehaussé en prenant davantage en compte les motifs et les besoins de retour des individus qui la composent. Nous pouvons aussi parler d'une équipe hardie lorsque les individus et le groupe comme entité ont le sentiment d'avoir du contrôle sur leur travail. Dans de telles équipes, les modes de gestion de la structure favorisent le développement de l'autonomie des personnes et des équipes. De nombreuses recherches ont d'ailleurs identifié le manque d'autonomie au travail comme un facteur important de lassitude et d'épuisement du personnel dans les grandes organisations.

Finalement, une structure de soins hardie va tendre à augmenter le sens du défi chez le personnel et dans les équipes en leur permettant de bouger, d'innover ou d'expérimenter. Dans une structure hardie le changement n'est pas perçu comme une menace mais comme une occasion de développement professionnel et personnel. Conséquemment, les personnalités hardies ne sont pas perçues comme dérangeantes ou menaçantes, au contraire. Ces structures démontrent assez de souplesse pour intégrer et canaliser l'énergie des personnes hardies vers des objectifs communs soit le mieux-être du malade d'une part et la protection des énergies du personnel d'autre part.

Il peut sembler curieux d'inclure la protection du personnel dans les principaux objectifs d'une structure. En effet nous avons l'habitude de considérer la structure de soins à travers sa mission première soit le soin et le bien-être des malades. Mais, en soins infirmiers, une structure ne peut se préoccuper d'augmenter la quantité et la qualité des soins sans se préoccuper dans une même mesure de la santé énergétique de son personnel. Des soignants démoralisés et au bord de l'épuisement ne peuvent contribuer à la poursuite d'un objectif d'amélioration de la qualité des soins. Le soignant n'est-il pas le principal outil dispensateur de soins ? Dans le savoir être, comment peut-il se vivre, s'il est placé en position de dissonance cognitive quant à ses possibilités de prendre soin de sa santé dans son propre milieu de travail ?

Une structure qui veut prévenir l'épuisement de ses troupes doit réfléchir à ses modes de gestion de façon à développer la hardiesse du personnel et des équipes mais elle doit aussi mettre en place des activités de formation continue qui poursuit le même objectif. Les activités visant la gestion du stress ont pour effet de diminuer la tension chez les soignants, mais ces effets sont souvent de très courte durée. Nous proposons au contraire des interventions qui se situent en amont et qui remettent en question le terrain même où s'installent le stress et les conditions physiques et psychiques qui en découlent. De telles activités de formation ne proposent pas de recettes toutes faites mais invitent les soignants à faire une démarche de connaissance de soi qui implique un travail de réflexion sur sa vie personnelle et professionnelle.

Pour terminer, nous pouvons dire qu'une structure qui développe la hardiesse chez ses membres et dans ses équipes a adopté une philosophie et des modes de gestion qui imprègnent tous les niveaux hiérarchiques. Une structure hardie possède aussi une direction hardie qui démontre de l'autonomie et le sens du contrôle dans son propre contexte social, économique et politique. La direction hardie explore toutes les marges de manœuvre possible lui permettant de faire des choix à l'intérieur du cadre institutionnel où elle se situe. En ce sens, elle cherche à augmenter son pouvoir et son autonomie de façon à redonner ce pouvoir et cette autonomie aux équipes de travail et aux soignants.

Bibliographie

1. Bernier (D.), *La Crise du burn-out*, Stanké, Montréal, 1994.
2. Lowen (A.), *La Bioénergie,* Tchou, Paris, 1975, p. 37.
3. Lowen (A.), « La dépression nerveuse et le corps », in *La Bioénergie, op. cit.*, p. 38.
4. Lowen (A.), *La Bioénergie, op. cit.*, p. 39.
5. Terrasse (C.), *Les Vieux Hôpitaux français,* Ciba, Lyon, 1945.
6. Mordacq (C.), *Pourquoi des infirmières ?*, Le Centurion, Paris, 1972.
7. Duboysfresney (C.) et Perrin (G.), *Le Métier d'infirmière en France*, « Que sais-je ? », Paris, 1996.
8. Collière (M.-F.), *Promouvoir la vie,* Interéditions, Paris, 1982.
9. Lief (H.O.) et Fox (D.C.), « Training for "Detached Concern" in Medical Students », in *The Psychological Basis of Medical Practice,* Harper and Row, *s.l.,* 1963.
10. Etzion (D.), « Achieved Balance in a Consultation Setting », in *Group and Organization Studies,* vol. 4, nº 3, 1979, p. 366-376.
11. Lipowski (Z.L.), « Sensory and information Inputs Overload : Behavioral Effects », in *Comprehensive Psychiatry*, vol. 16, nº 3, *s.l.n.d.*, 1975.
12. Muchielli (R.), *Les Complexes personnels*, ESF, Paris, 1980, p. 65.
13. Muchielli (R.), *op. cit.*
14. Ignatieff (M.), « La liberté de l'être humain », in *Essai sur le désir et le besoin,* La Découverte, Paris, 1986.
15. Zimbardo (P.G.), *in* Pines (A.M.), Aronson (E.) et Kafry (D.), *Le Burn-out,* Le Jour, Montréal, 1982, p. 96.
16. Tolfler (A.), *La Troisième Vague,* Noël, Paris, 1980.
17. Bettelheim (B.), *Le Cœur conscient,* Laffont, Paris, 1972.
18. Goleman (D.), *L'Intelligence émotionnelle*, Laffont, Paris, 1997.
19. Simonton (C.), Simonton (S.M.) et Creighton (J.), *Guérir envers et contre tous,* ÉPI, Paris, 1982.
20. Edelwich (J.) et Brodsky (A.), *Burn-out : stages of desillusionment in the helping professions,* Human Science Press, New York, 1980.

21. Scharf (P.F.), *Self-concept, professional role discrepancy and burn-out among professional ruses employed in hospital setting,* thèse non publiée, université de New York, 1985.
22. Firth (H.), McIntee (J.), McKeown (P.) et Britton (P.), « Burn-out and professionnal depression: Related concents ? », in *Journal of Advanced Nursing, s.l.*, 1986, p. 633-641.

Achevé d'imprimer sur les presses
de l'Imprimerie du Corrézien
19460 NAVES
Imprimé en France - Août 1999
N° impression : 1530
Dépôt légal : 2ᵉ trimestre 1998